HYMNE

Fiction & Cie

Lydie Salvayre

HYMNE

roman

Seuil
25, bd Romain-Rolland, Paris XIVe

COLLECTION
«Fiction & Cie»
fondée par Denis Roche
dirigée par Bernard Comment

ISBN 978-2-02-098555-0

www.seuil.com
www.fictionetcie.com

Mon siècle, mon fauve, qui pourra
Te regarder droit dans les yeux

Ossip Mandelstam, *Le Siècle*

On dit qu'il était timide.

Qu'il avait le charme efféminé des timides.

Leur douceur.

On dit qu'il approuvait courtoisement les conneries qu'on lui expliquait plutôt que d'en débattre. Qu'il était incapable de dire non. Qu'il était incapable de soutenir un regard hostile. Que lorsqu'il parlait il mettait la main devant sa bouche, comme pour s'excuser de l'ouvrir.

On dit qu'il l'ouvrait peu.

Que sa réserve était son inclination naturelle, et sa morale.

On dit qu'il ne savait pas déchiffrer la musique. Qu'il était infoutu d'écrire et même de nommer les formes musicales inouïes qu'il inventait. Que le sentiment de cette incapacité aggravait considérablement sa timidité naturelle. Que lorsqu'il se vit contraint d'avouer à Miles Davis (lequel lui avait transmis une de ses compositions en signe d'amitié), lorsqu'il se vit contraint de lui avouer qu'il ne savait pas déchiffrer sa musique, il eut envie d'entrer sous terre. Et d'y rester.

On dit que le jour où il apprit l'assassinat de Martin Luther King (il se trouvait dans un bar fréquenté par les Blancs), il garda un silence mortel lorsqu'un type gueula Bon débarras! Que son visage resta de marbre lorsqu'un autre se mit à rugir C'est une bonne leçon pour les nègres! Qu'il versa très lentement le sucre dans son café lorsque le barman, avec une affreuse expression de joie sur la figure, commenta Bien fait, le bamboula l'a bien cherché! Qu'il fit tourner très lentement sa cuillère dans la tasse (sa main tremblait-elle un peu?) lorsque ce dernier, pour faire bonne mesure, vociféra On va quand même pas se laisser chier sur la tête par des macaques! Qu'il avala très lentement sa boisson malgré les bonds que faisait son cœur, serré comme le poing, jusqu'à sa bouche. Qu'il refoula au fond de lui une colère vieille de plusieurs siècles, une colère héritée d'un peuple qui avait appris, pour sauver ses billes, à ne pas parler inconsidérément. Mais que le lendemain de ce drame, le 5 avril 1968, à Newark, sur la scène du Symphony Hall, il rendit un hommage inoubliable à l'homme assassiné, et fit jaillir en beauté sauvage la douleur concentrée, immobile et muette qu'il avait, la veille, au prix d'un effort inhumain, contenue.

On dit qu'il ne s'aimait pas. Que sa timidité incurable venait de ce qu'il ne s'aimait pas.

Qu'il n'avait aucune assurance aucune. Qu'il demandait

souvent à ses proches Est-ce qu'on me prend pour un pitre? Est-ce que je ne suis pas ridicule avec ce chapeau? On dit qu'il ne sortait de sa timidité que pour être, sur scène, l'audace même.

Il fut, le 18 août 1969, l'audace même.
Il fit ceci: il s'empara de l'Hymne et il le retourna.
Il eut ce front.
Il prit ce risque.
L'hymne entonné en prélude aux allocutions du président Nixon, l'hymne qui résonnait lors des célébrations de tueries héroïques, l'hymne intouchable, l'hymne immuable, l'hymne de la superpuissance blanche classée n° 1 au hit-parade des pays producteurs de bombes: au napalm, au phosphore, à la dioxine, au graphite, tritonales, à fragmentation, à guidage laser, à sous-munitions, il y en avait pour tous les goûts, l'hymne d'amour de la patrie, car amour et patrie sont deux mots qui parfaitement s'accolent (j'ai à l'esprit un autre verbe que je n'ose pas écrire), l'hymne des braves boys qui savaient opposer leur mâle résistance à la propagation communiste avec l'aide miséricordieuse de Dieu et suivant la méthode imparable du search and destroy encore appelée civilisatrice, cet hymne-là, il s'en saisit et il le renversa.
L'hymne sacré, symbolique, scrupuleusement respecté, l'hymne régimentaire qui avait envoyé son ami Larry Lee se faire trouer la peau dans les jungles du

Vietnam, l'hymne qui accueillait en fanfare les GI morts au combat, lesquels arrivaient de Saigon en emballage capitonné, car sacrifier sa vie à la lutte contre le Mal méritait amplement un emballage capitonné, la patrie reconnaissante ne reculant devant aucun sacrifice, l'hymne sanglé de la tradition, l'hymne engoncé dans son uniforme, l'hymne bêlé à l'école, en cadence, un-deux, l'hymne vidé de sa substance et braillé sur les stades Oh dites-moi pouvez-vous voir dans les lueurs de l'aube ce que nous acclamions si fièrement au crépuscule, l'hymne qu'on chantait sans l'entendre, depuis le temps, l'hymne embaumé, l'hymne empoussiéré, l'hymne pétrifié de la nation, il l'empoigna, le secoua, et aussitôt en fit jaillir une liberté qui souleva l'esprit.

C'est de *The Star Spangled Banner* que je parle. C'est de ce morceau si légitimement fameux que Jimi Hendrix joua à Woodstock le 18 août 1969, à 9 heures, devant une foule qui n'avait pas dormi depuis trois jours, et que j'écoute des années après, dans ma chambre, avec le sentiment très vif que le temps presse et qu'il me faut aller désormais vers ce qui, entre tout, m'émeut et m'affermit, vers tout ce qui m'augmente, vers les œuvres admirées que je veux faire aimer et desquelles je suis, nous sommes, infiniment redevable.
Car je l'ai décidé ce matin (changerai-je d'avis dans un mois?), je ne veux plus parler que des choses qui, véritablement, m'importent et me touchent à vif. Je ne veux

plus avoir d'autres liens qu'avec ceux-là qui m'aident à vivre, connus ou anonymes, morts ou vivants, Jean Vernet, mon voisin adorable, ou Hendrix, ce génie, mue par cette illusion que, en laissant de leur vie quelques traces écrites, leur disparition sera pour moi un peu moins irrémédiable, et un peu moins triste la certitude qu'ils resteront dans mon souvenir à tout jamais irremplacés.

J'écoute l'Hymne une fois encore. Et alors que je trouve souvent je ne sais quoi de dépassé et de vieux jeu dans les romans qui firent le bonheur de ma jeunesse, le cri que lança Hendrix en jouant *The Star Spangled Banner*, à Woodstock, le 18 août 1969, à 9 heures du matin, ce cri me bouleverse tout comme au premier jour. Et sans qu'on puisse imputer (je l'espère) ce constat à l'étiolement de mes sens, j'ai le sentiment que je n'entends plus aujourd'hui de cri qui ait, comme le sien, ce souffle à arracher les arbres.

Car ce matin du 18 août 1969, à Woodstock, Hendrix fit entendre un cri insoutenable, insoutenablement beau, et paradoxalement libérateur.

Un cri plus fort que tous les mots, un cri d'effroi devant la vie menacée par la folie guerrière et d'espoir increvable devant la beauté.

Un cri qui déchira l'espace, un cri aux accents inconnus, un cri qui était comme une incantation aboyée dans un monde infernal, comme un sanglot terrible.

Un cri lancé au ciel.

Un cri si intense, si véhément, d'une puissance d'entraînement telle qu'il traversa l'épaisseur du temps, traversa tous les blocs de résistance qui obstruent la mémoire, jusqu'à m'atteindre, jusqu'à nous atteindre en plein cœur, et à nous traverser.

On dit que la voix d'Orphée faisait miraculeusement se coucher les bêtes.

Le cri de Hendrix fit tomber en un instant, ce matin du 18 août 1969, à Woodstock, des murs entiers d'indifférence et d'amnésie.

Il résonne encore aujourd'hui.

Et son pouvoir d'interpellation reste intact.

Mieux encore, c'est aujourd'hui peut-être, puisque le temps parfois peut apporter des roses, ainsi que le disait Carlyle à sa manière enrubannée, c'est aujourd'hui peut-être qu'il nous est le plus nécessaire.

Car où entend-on aujourd'hui un hurlement de cette portée qui se lève contre l'horreur et redonne vie à nos vies ?

Où entend-on aujourd'hui une protestation qui ait cette force à décorner les bœufs et qui soit audible par tous ?

Où entend-on aujourd'hui une conflagration de cette ampleur qui nous alarme aussi abruptement sur la démence du monde et qui nous interroge aussi abruptement sur notre maintenant ?

14

Le monde serait-il devenu si beau, si juste et si pacifique qu'un hurlement pareil au sien serait absurde? Notre vie serait-elle si heureuse que seuls quelques attardés auraient encore à s'époumoner? La violence se serait-elle miraculeusement dissipée? Ou notre abdication serait-elle si totale que nous n'aurions plus à nous insurger?

Tout me pousse, les jours sombres, à penser que cette dernière hypothèse est peut-être la plus vraie, à force de percevoir, jour après jour, l'expression de la révolte affadie dans des livres indigents et qui manquent de soufre, déshonorée dans des chansons mises à la mode à grand renfort de pub, pervertie dans les discours politiques des pros du changement, ou, pire encore, dans les sermons édifiants de ceux, prophètes, télévangélistes milliardaires ou autres délinquants parlant au nom de Dieu, qui n'ont à la bouche que la parole amère des redresseurs de torts.

Le cri que Hendrix fit entendre à Woodstock, le 18 août 1969, à 9 heures du matin, ce cri continue aujourd'hui de crier et de défier le temps. C'est cela surtout que je voudrais dire à propos de *The Star Spangled Banner*. Qu'il fut un cri, un cri libre, un cri de refus, un cri de refus qui concentra tous les refus d'une jeunesse que l'avidité, la brutalité et le prosaïsme de la société d'alors révulsaient jusqu'à la nausée, un cri dont l'impact, quarante années après, vient encore fissurer la gangue de nos cœurs.

C'est cela que je voudrais dire dans ma lourdeur, plutôt que de verser dans cette admiration inoffensive et pieuse à laquelle je cède parfois, dans cette sanctification sans effets ni pouvoirs dont la musique de Hendrix est devenue souvent, me semble-t-il, l'objet.

Je voudrais dire haut la beauté de ce cri, la louer, la propager auprès de ceux qui n'ont pas eu la chance encore d'en faire, dans leur intimité, l'expérience (une expérience qu'il m'arrive d'appeler pour moi-même Expérience H, avec ce que cette formule suppose d'explosif), la porter vers eux avec cette force que je reçois d'elle depuis si longtemps et qui conduit ma main qui est en train d'écrire.

Mais ce n'est pas sans crainte que je me jette dans cet éloge. Quand je dis je me jette, cette expression donne une faible idée de mon appréhension. J'ai le sentiment, avec la musique de Hendrix, d'être véritablement jetée sur un continent autre, dans une langue autre, ailleurs, j'ai le sentiment que je m'aventure et me découvre sur le sol qui m'est le plus étranger, je veux dire loin, très loin de la littérature qui m'a toujours accompagnée.

Car, autant l'avouer d'entrée de jeu, je n'ai ni l'âge ni le goût d'être une fan de rock, et les cris suraigus des adolescentes à la vue de leur idole m'amusent autant qu'ils m'ébahissent,

je n'ai rien d'une experte en musique,

je n'en possède ni le savoir ni les armes,

je n'ai, du reste, nullement l'intention de me livrer à l'autopsie de *The Star Spangled Banner*,

je n'envisage pas plus de faire concurrence aux biographies savantes, ni aux inventaires fétichistes, ni aux exégèses agenouillées et toutes bardées de dates et de détails (fort utiles au demeurant).

Je voudrais simplement faire l'éloge de l'Hymne joué par Hendrix le 18 août 1969, dans cet esprit analphabète cher au philosophe Bergamín, qui désignait par là, non l'ignorance fruste, expéditive et fière d'elle-même, mais une approche démunie de toute volonté de maîtrise, de tout désir d'autorité, de tout savoir ornemental, lequel, croyant faire reculer le mystère d'une œuvre, en manquait, disait-il, l'essentiel, une approche sans défense mais sans naïveté et qui savait s'abandonner à la beauté plutôt que de tenter d'en mesurer en vain la démesure.

Je voudrais, disais-je, faire l'éloge de l'Hymne joué par Hendrix, dans cet esprit analphabète cher à Bergamín, et en allant par mes chemins imaginaires, au gré des fictions que j'ai brodées sur l'homme tout au long de ces années, à partir de détails glanés ici et là, des on-dit, des rumeurs, des histoires vraies et fausses et des Hauts Faits de la Légende hendrixienne.

J'écoute l'Hymne, ce matin, tout en jetant mes yeux sur le journal du soir qui nous promet plus encore de pauvreté et plus encore de fanatisme. Et je me dis que si *The Star Spangled Banner* n'a pas cessé d'agir sur nous depuis toutes ces années, s'il nous parle aujourd'hui avec une urgence et une intensité rares, s'il est plus que jamais d'actualité, ce temps où Hendrix apparut à l'épicentre d'un monde foisonnant de promesses et d'espoirs (et ce, en dépit des désastres guerriers et des exactions racistes), ce temps des rêves naïfs auxquels nous adhérâmes il y a près d'un demi-siècle, ce temps désormais est échu, et s'est éloigné de moi, de nous, à une distance astronomique.

Car Hendrix mourut en même temps que mourait une époque qui avait cru, déraisonnablement, que le pouvoir des fleurs désarmerait les mains les plus militaires.
Hendrix, à Woodstock, incarna, d'une certaine façon, la fin de ce monde, et son deuil.
Il fut ce feu d'espoir qui brûla sur lui-même.
Et il en fut les cendres.
Est-ce qu'on est déjà demain ou est-ce la fin du monde ? demandait-il.
Hendrix, dans une sorte de prescience, avait compris que nous étions déjà demain et que c'était la fin d'un monde.
Il avait compris que la paix et le bonheur qu'il souhaita à la foule, ce matin du 18 août 1969, à Woodstock, que cet idéal impossible auquel une génération avait éperdument aspiré était condamné à mourir.
Il avait compris que les cerfs-volants ne remplaceraient

jamais les avions de chasse, que les lucioles de l'innocence s'étaient définitivement éteintes en Italie comme partout ailleurs, et que l'espoir (à qui la tradition, c'est mauvais signe, donne la couleur de l'épinard), que l'espoir d'une dignité partagée dans un monde meilleur avait pris l'eau de toutes parts jusqu'à puer la vase.

Il avait compris que la Beat Generation était morte avec Neal Cassady, retrouvé gisant, sous la pluie, comme un chien, le 4 février 1968, au bord d'une sinistre voie de chemin de fer, ses rêves utopiques enfoncés dans la boue.

Et si tout nom porte, paraît-il, un sens, on peut avancer que le nom de Hendrix, qui sonne comme Matrix, fut à la fois l'emblème de cet idéal naufragé et l'annonciateur d'un monde qui n'en était alors qu'à son commencement, un monde futuriste, beaucoup plus fauve et inhumain que le précédent, et devant lequel mieux valait s'étourdir avant qu'il n'impose définitivement son règne.

Hendrix annonça ce monde à venir,
ce monde où les églises seraient désormais électriques,
Electric Churches, comme il les appelait,
des églises d'où il ne serait plus jamais chassé parce que tout simplement il en serait le maître,
et qui nous introduiraient au temps des artifices, du cyber art, de la cyber info et du cyber amour, sur des écrans qui ne s'éteindraient plus et qui bouleverseraient

la production et l'usage de la musique, tout comme ils bouleverseraient la production et l'usage du monde, un monde où, parallèlement, les mots consumérisme et mondialisation deviendraient banals, où le cynisme et l'emprise du fric sur toute chose étendraient leur pouvoir, et où la crapulerie financière ne cesserait de croître, la crapulerie financière dont Hendrix fut, je le dis et l'affirme, le sacrifié.

Car Hendrix ne mourut pas seulement d'un excès de barbituriques, comme partout il fut écrit.
Il mourut du mal de son époque.
Il mourut du déchirement d'une époque prise entre la fin de l'euphorie idéaliste des années 60 et le surgissement d'un monde autrement plus rapace et brutal, d'un monde happé par l'obsession du calcul économique.
Il mourut du mal de son époque, du mal de son pays et du mal d'une logique qui commençait à s'affirmer, une logique pour laquelle il n'était pas fait, et qui est encore et toujours la nôtre,
une logique marchande, sauvagement marchande, dont son immonde manager Jeffery fut l'une des pièces maîtresses.

Car son immonde manager Jeffery le jeta dans des tournées exténuantes et ne programma pas moins de deux cent cinquante-cinq concerts pour la seule année 1967 et presque autant en 1968, pour la bonne raison que son poulain (c'est ainsi qu'on commença à désigner, fort justement, ces bêtes du spectacle) était devenu une star que toutes les capitales s'arrachaient, et que les recettes de ses concerts augmentaient de façon fabuleuse.

Et l'immonde manager Jeffery qui ne pensait qu'à augmenter les marges déjà énormes qu'il prenait sur les bénéfices et à posséder toujours plus de grosses villas, toujours plus de grosses bagnoles et toujours plus de grosses montres, l'immonde Jeffery dont Hendrix disait, dans ses (rares) jours de colère, qu'il n'était pas un mec mais un portefeuille (comme le fut avant lui l'immonde colonel Parker qui s'était outrageusement enrichi sur le dos de Presley en le poussant vers des chemins indignes), l'immonde Jeffery qui craignait que Hendrix ne se lassât d'un programme véritablement éprouvant, d'un programme qui aurait écrasé n'importe quel jeune homme de son âge, fût-il le plus résistant, l'immonde Jeffery n'hésita pas à lui fournir en abondance drogues et psychotropes, leur coût passant, je le précise, au compte des frais généraux.

Il l'approvisionna en dope pour, littéralement, le désarmer, pour l'anéantir, et briser en lui toute volonté de fuir, pour le mettre, en l'amenant à se nuire, hors d'état de lui nuire.

Et Hendrix qui était aussi résolu et souverain sur scène que vulnérable et mal assuré dans la vie, à l'instar de ces marins qui, le pied posé sur la terre, ne savent plus marcher, Hendrix fit un usage immodéré des stupéfiants fournis par l'immonde Jeffery.

Il abusa du LSD qui l'emportait, halluciné, loin des morosités, sur un vaisseau spatial, comme il disait, voguant dans une brume pourpre en quête d'un havre où se poser,

loin de la réalité étroite et borgne, que l'acide heureusement défigurait jusqu'à la rendre fantastique,

loin de la vulgarité des goujats du show-biz qui éructaient leurs bassesses en comptant leur pognon,

loin des tournées aux quatre coins du monde qui le laissaient sonné et éreinté comme trente-six déménageurs,

et loin de tout ce qui pouvait ouvrir sa blessure d'enfance, sa blessure secrète dont je reparlerai plus tard, loin du vieux désespoir qui lui fit souvent, dans ses chansons, appeler la mort de ses vœux afin qu'elle le délivre.

Hendrix abusa de la dope jusqu'à en devenir brutal et irritable, lui qui avait toujours été d'une douceur de fille.

Il se défonça chaque jour et plusieurs fois par jour, avec d'autant plus d'acharnement que l'ambiance qui régnait au sein de son groupe The Jimi Hendrix Experience était devenue détestable, que Noel Redding était las qu'il lui dictât ses parties de basse, et que lui-même ne supportait plus que les deux musiciens qui l'accompagnaient fissent régulièrement des plaisanteries sur sa noirceur sans mesurer à quel point elles pouvaient l'atteindre.

La tournée européenne qui avait débuté en janvier 69 n'avait fait qu'ajouter de la fatigue à sa fatigue.

Et la tournée américaine qui lui succéda fut une épreuve supplémentaire. Peut-être l'épreuve de trop.

La légende dit qu'à Dallas, l'un des flics qui assuraient le service de sécurité pour le concert d'un soir, un type à la nuque rasée et qui marchait les pieds en dedans, le menaça d'un flingue en hurlant à l'adresse de son tourneur *Tu diras à ton nègre que s'il joue The Star Spangled Banner ce soir, il ressortira pas vivant du bâtiment!*

Hendrix comprit ce qu'il savait déjà et qui lui fit du mal une fois encore. Il comprit que ce flic qui aboyait patriotiquement était le porte-parole d'une Amérique blanche hantée par la terreur du chaos politique, inséparable selon elle du chaos sexuel, les deux affreusement nuisibles à l'idéal chrétien, affreusement favorables à l'infiltration communiste et affreusement générateurs de criminalité rampante, c'étaient les expressions dont, à l'époque, on usait.

(Rappeler que, en 1940, Igor Stravinsky, qui avait orchestré *The Star Spangled Banner* pour l'Orchestre symphonique de Boston, fut malmené par la police, arrêté pour «falsification de biens publics», et libéré vingt-quatre heures après, avec quelques égratignures et un cocard du plus beau mauve. Hendrix avait-il entendu la version de Stravinsky que les autorités avaient jugée délictueuse? Quelque chose me dit que oui et qu'il voulut, en quelque sorte, faire pire, je veux dire mieux.)

Hendrix, à la fin de ce maudit printemps 1969 et de cette maudite tournée qui l'avait conduit à travers l'Amérique dans des villes où le racisme était la règle et où les Noirs étaient traités comme des bêtes, Hendrix avait atteint, je crois, la limite de ce qu'il pouvait supporter. Il était à bout.

Alors, il décida de dire stop aux tournées, il avait trop présumé de ses forces, stop à son groupe The Jimi Hendrix Experience, il avait l'insupportable sentiment de s'y enliser, stop aux concerts à la chaîne, il fallait à tout prix qu'il reprît souffle, et stop au despotisme bonhomme (le pire) de son manager Jeffery dont il était, d'une certaine façon, le nègre.

Il se fit le serment, c'est ce que j'imagine, de ne pas consentir un jour de plus à ce qui le brisait.

C'est-à-dire :

– de ne plus entendre une seule fois le mot thune, ni le mot fric, ni le mot blé, ni le mot pognon, ni le mot bénef, ni le mot cible, ni le mot résultat, ni les expressions taux d'amortissement, ou taux d'occupation, ou taux d'intérêt, ni aucune de ces phrases que Jeffery avait sans cesse à la bouche et que Hendrix entendait comme on entend une langue étrangère dont les sonorités vous sont hostiles,

– de s'écarter résolument d'une image publique qui ne lui renvoyait que la caricature de lui-même en sauvage,

– de rencontrer de nouveaux musiciens dont l'émulation éveillerait la sienne et qui lui permettraient de sortir sa musique du cadre étroit du rock où il commençait à s'ennuyer,

– et surtout, surtout, d'envoyer paître Jeffery dans les grandes largeurs, au moins pendant un temps.

Sans quoi, se disait-il, sans quoi il se perdrait de vue.

Sans quoi il perdrait de vue la musique, sa femme.

Sans quoi il irait à sa propre perdition.

Il s'attela à ce projet.

Et se mit à chercher un asile, loin de tout ce fracas qui l'entourait depuis ces deux ans de démence, un asile où il pourrait marcher, nager, se jeter dans l'herbe, galoper à cheval, regarder le ciel, vivre avec des amis et se vouer enfin à ce qui était sa vie.

Et en juillet, il emménagea pour tout l'été dans une grande maison, à Shokan, un village du comté de Sullivan, non loin de la ville de Woodstock qui deviendrait bientôt célèbre dans le monde entier.

Il demanda à son ami Billy Cox, l'ami des jours difficiles qu'il avait connu à l'armée, de venir le rejoindre, et appela près de lui quatre autres musiciens, le guitariste Larry Lee qu'il avait rencontré à Nashville en 1963, le fidèle Mitch Mitchell, et deux percussionnistes, Jerry Velez et Juma Sultan, afin qu'ensemble ils préparassent le festival qui devait avoir lieu à Woodstock, le mois suivant.

Alors, il se sentit repris par l'ancienne fièvre.

Alors, son désir de créer qui s'était épuisé revint à toute allure.

Alors, il répéta avec ses musiciens des morceaux qui lui firent dire en riant que ces compositions les conduiraient direct en taule.

Et j'ai le sentiment que ces quelques semaines furent, pour lui, une trêve. La vie comme il l'entendait. La vie renouée. La vie faite musique.

Et le lundi 18 août 1969, à 8 heures du matin, Hendrix monta sur scène, suivi de ses cinq musiciens, Billy Cox à la basse, Larry Lee à la guitare rythmique, Jerry Velez et Juma Sultan aux percussions, et Mitch Mitchell à la batterie. Le groupe s'appelait Gypsy Sun & Rainbows.
Il était le dernier à passer.
Le ciel était fade.
Le sol boueux.
Canettes et papiers gras.
Et dans l'air une mélancolie de fin de fête.
Des quatre cent mille spectateurs qui étaient arrivés au début du festival, il n'en restait plus que vingt mille.
Hendrix commença de jouer.
Yeux clos.
Visage calme, comme toujours.
Présent, intensément, et cependant comme en retrait.
Livré à ce qui surgissait de sa guitare, et qui était puissant

jusque dans les silences. N'opposant nulle défense à la musique qui lui venait (comme je laisse venir, en ce moment, les mots sur lui, sans me soucier qu'ils sonnent sur ce ton exalté que d'ordinaire j'abomine).

Hendrix commença de jouer, et ses accords arrachèrent à la foule ses dernières somnolences.

Sur scène, on ne voyait que lui.

Sur toutes les scènes où il se produisait, on ne voyait que lui.

Il déclara avec humour que son groupe jouerait faux et tranquillement.

Joua plusieurs morceaux.

Puis, à 9 heures exactement, il fit sonner les premières notes de l'Hymne, celui dont je veux vous parler, l'Hymne américain qu'il avait déjà joué au Winterland de San Francisco, au Royal Albert Hall de Londres, et dans quelques villes de la tournée américaine, mais que très peu, alors, connaissaient.

Hendrix fit sonner les premières notes de l'Hymne, et tout l'espace en fut soudain bouleversé, et ceux qui étaient encore présents à Woodstock, ce jour-là, le 18 août 1969, à 9 heures du matin, ceux qui étaient venus des régions les plus éloignées de l'Amérique pour ces trois jours de paix et de musique comme on les appela, en furent bouleversés comme cela n'arrive que de très rares fois dans une vie.

Ils pressentirent que cette fulguration, que cette salve d'une puissance à vous flanquer par terre, que cette beauté furieuse dont ils étaient les témoins, n'avait nul précédent et ne se répéterait jamais plus.

Ils pressentirent qu'elle dépassait le champ musical, qu'elle dépassait le champ poétique, qu'elle dépassait le champ politique, qu'elle dépassait la protestation à quoi souvent, par la suite, on voulut la réduire.

Ils pressentirent que la forme nouvelle et la langue nouvelle qu'ils attendaient pour exprimer à la fois leur dégoût du mensonge et l'horreur de la guerre, leur appétit de vivre et leur faim d'infini, ils pressentirent que cette forme nouvelle se trouvait, là, soudain, incarnée.

Car Hendrix à lui seul, et par le seul moyen de sa guitare, Hendrix leur fit entendre, à bout portant, une certaine vérité de l'Amérique.

Il leur révéla, par le seul biais de sa musique, que les États-Unis étaient, depuis le commencement, désunis.

Il dénomma la désunion.

À lui seul, il la prit en charge.

Et mit brutalement à découvert ceci : c'est qu'il n'y avait pas une Amérique unie, unifiée, uniforme, c'est-à-dire blanche, prospère, conquérante, animée d'une unique conception de l'homme et de la vie,

mais qu'il y en avait cent,

qui formaient un troupeau

appelant au secours

et sur lequel on fermait vertueusement les yeux.

Nul ne savait cela mieux que lui, le trois fois bâtard, le

trois fois paria, le trois fois maudit, lui dont les veines charriaient du sang noir, du sang cherokee, et quelques gouttes de sang blanc, lui qui vivait avec trois cœurs battants, et peut-être davantage.
Car Hendrix était, à lui seul, un continent et une Histoire.

Par le seul moyen de sa musique qui brassa dans un même chœur le sanglot des Indiens Cherokee chassés de leurs sauvages solitudes, la nostalgie des esclaves noirs qui chantaient le blues dans les champs de coton, les fureurs électriques du rock'n'roll moderne et les sons si nouveaux du free-jazz,
par le seul moyen de sa musique, il rameuta, en trois minutes quarante-trois, le troupeau des Amériques qui faisaient l'Amérique et qui hurlèrent à la mort de se voir ainsi regroupées.
Toutes ces Amériques incompatibles, dissonantes, enne-mies,
ces Amériques divorcées, malheureuses,
ces Amériques démembrées,
l'Amérique des Noirs privés du droit de s'asseoir dans les snacks et de pisser dans les stations-service, des Noirs confinés dans des étables et nourris de la pâtée des porcs, des Noirs chassés des jardins publics, chassés des plages, chassés des cinémas, chassés des églises, chassés des bordels, chassés des night-clubs, chassés des cime-tières, chassés des écoles et chassés de toutes parts,
l'Amérique des Indiens et leur peine éternelle et leurs

noms qui n'étaient plus rien, Okonee, Natchez, Chatta-hoochee, Kaqueta, Orocono, Wabash, Chippewa, Chickasaw, Oshkosh, Spokane... l'Amérique des Indiens qui, après avoir vécu libres et maîtres de leur sol au bord de lacs violets, furent légalement spoliés, légalement trahis, légalement exilés, légalement massacrés, *Tuez-les tous! Tuez-les tous!*, légalement traités en réprouvés et légalement parqués dans des préfabriqués de fortune,

l'Amérique de Nixon qui les entraînait irréversiblement vers une guerre interminable, une guerre qui dépassait de beaucoup la mesure d'un désastre national, une guerre qui était comme une plaie empoisonnée dans l'esprit de la jeunesse, une guerre livrée par la nation la plus puissante du monde contre un pays minuscule, et que beaucoup regardaient comme injuste,

et l'Amérique des Américains moyens que Dieu les bénisse, des Américains moyens tout imprégnés de sentiments patriotiques, très respectueux de la bannière étoilée et des opérations Speedy Express, bons pères, bons citoyens, bons époux, bons voisins, inscrits pour la plupart dans des ligues de vertu, banalement salauds, banalement racistes, gobant sans rechigner tous les mensonges présidentiels bien qu'ils laissassent mauvais goût, mais s'offusquant à grands cris de la tignasse de leur fils qui s'était rendu à Woodstock écouter une musique de nègres uniquement conçue pour abaisser les Blancs à leur niveau.

Et toutes ces Amériques que je viens de nommer, l'Amérique d'un passé enseveli vivant et que l'on voulait mort, l'Amérique d'un présent douloureux pris entre des vents contraires, et l'Amérique d'un futur électrique qui préparait déjà, souterrainement, l'élection d'Obama, toutes ces Amériques qui faisaient l'Amérique, il leur donna accueil, les fit entendre toutes,
et monstrueusement les hybrida,
en hybridant leur musique.

Parce qu'il refusait de croire à l'imposture d'une réconciliation, parce qu'il refusait de se plier à la vision œcuménique que les politiciens d'alors avaient pris l'habitude de dispenser aux foules toujours prêtes à gober ce qui les réconforte,
il fit sonner l'hymne d'une Amérique qui endossait toutes ses appartenances, l'entrecroisement de ses appartenances et leur brutal affrontement.
Il les fit s'entrechoquer dans une sorte d'explosion maîtrisée qui projeta à la surface mille morceaux brûlants d'Histoire et mille ombres de morts, mille ombres de morts arrachés à l'enfer, je veux dire à l'oubli.
Il parle vrai, qui parle l'ombre.
À la foule qui l'écoutait, ce matin d'août 1969, à Woodstock, la musique de Hendrix parla vrai. Elle leva le déni autant que le mensonge et substitua au regard qui depuis si longtemps se dérobait devant l'in-

soutenable un regard qui, violemment, cruellement, l'affrontait.

Loin de moi l'idée d'interpréter et de réduire la musique de Hendrix à l'expression d'une vérité. Loin de moi l'idée de voir en l'Hymne un plaidoyer qui aurait cherché à édifier, à convertir ou à pesamment convaincre la foule de Woodstock, comme avait cherché à le faire, deux jours auparavant, la bien-pensante et sermonneuse Joan Baez.

Mais cette vérité abrupte et sans détour que la foule, regroupée autour de la scène, entendit ce matin du 18 août 1969, à Woodstock (quand je parle de vérité, je n'entends pas la vérité version Pravda qui se décrète et se rengorge, mais celle déchirée déchirante qui surgit fortuitement du poème, celle qui se risque, funambule, sur le fil, celle qui se laisse deviner ou qui s'offre, sauvage et sans calcul), cette vérité ce fut Hendrix qui la porta avec une puissance et un calme qui stupéfièrent,

qui la porta sans ouvrir la bouche,

avec seulement une guitare,

chargée comme un fusil.

Hendrix fit hurler ensemble toutes ses Amériques aimées et exécrées, il les fit hurler ensemble dans cette langue d'incendie dont je reparlerai plus tard,

dans cette langue monstre qui rendit immédiatement caduque toute autre forme d'expression,

cette langue avec laquelle aucune autre n'aurait pu rivaliser,
car aucune autre n'aurait été capable d'embrasser, comme il le fit avec sa seule guitare, toutes ces voix qui se cognaient dans un chœur atroce et magnifique,
un chœur déchiré, discord,
un chœur bousculé où la violence la plus folle se cognait à la puissance contenue, la fureur grondante au murmure, l'horreur la plus effroyable à la beauté, et l'angoisse de la mort à l'inapaisable espérance,
un chœur disloqué, grinçant, un chœur monstrueux où le blues, le rock, la soul, le free-jazz, le brame indien et l'hymne de la nation procédaient à des fornications contre nature, fornications qu'aucune littérature au monde n'aurait pu exprimer, pour la simple et bonne raison que les phrases écrites ne peuvent que se succéder, sous peine d'entraîner une confusion analogue au brouhaha d'un café en Espagne à l'heure des tapas, ce qui n'est pas peu dire.

Et cette vérité violente que Hendrix fit résonner sur l'envers sombre d'une Amérique vernissée, cocardière, et sûre de son droit, constitua pour tous ceux qui étaient là, ce matin du 18 août 1969, à 9 heures, à Woodstock, une délivrance,
une délivrance qui les laissa déconcertés et étourdis, mais une délivrance salutaire et j'irai jusqu'à dire cathartique comme (je prends le risque de cette comparaison

34

quitte à encourir les foudres des experts gréco-latins), comme le théâtre antique le fut pour la société de son temps, lequel, en proposant au public des héros écartelés entre des pouvoirs contraires, permit à tous (car tous sans exception, qu'ils fussent pauvres ou métèques, étaient conviés aux Grandes Dionysies) de méditer sur les valeurs sociales de leur époque.

En trois minutes quarante-trois, *The Star Spangled Banner* rendit respirable l'air d'un pays où la jeunesse suffoquait, cernée qu'elle était par des discours qui, cherchant à toute force à gommer les aspérités de l'Histoire, ne faisaient que lui mentir.

Car pour rendre l'air de l'Amérique respirable en 1969, l'Amérique de John Wayne et des pom pom girls à grosses cuisses, il fallait qu'une voix osât dire les autres Amériques, les Amériques innommées, les Amériques humiliées, les Amériques obscures, celles qui constituaient la face sale et repoussante du Rêve Américain, celles qu'ignorait l'Amérique radieuse, conquérante et rose de santé des pubs télévisées.

Car pour rendre l'air de l'Amérique respirable en 1969, il fallait lever le déni des forfaits perpétrés par la guerre au Vietnam, laquelle se fardait des meilleures intentions et parlait pudiquement de volonté pacifiante.

Il fallait faire parler les morts, tous les morts, les morts du Vietnam, bien sûr, mais aussi les morts des révoltes noires écrasées par la force dans le quartier de Watts, et les millions de morts indiens dont la terre américaine était, en quelque sorte, le sépulcre.

Il fallait dénoncer les bombes au napalm de la libération, les conscrits enrôlés en majorité parmi les Noirs et les Blancs des classes pauvres, la grande injustice et la grande douleur diffuse.

Il fallait dire la pitié, l'espoir impatient, le goût ardent pour l'amour et la paix avec la fougue propre à la jeunesse, et ouvrir en même temps la poitrine de l'Amérique afin d'en exhiber son cœur violent.

Dans de grandes œuvres d'art, le monstrueux des temps modernes prend conscience de soi, dit le philosophe Peter Sloterdijk.

Hendrix se risqua, ce matin du 18 août 1969, à Woodstock, à dire le monstrueux de l'Amérique dont les Américains étaient à la fois victimes et complices.

Il se risqua à dévoiler les vérités mauvaises que l'Amérique schizophrène cherchait à esquiver derrière ses bruyantes professions de dévouement à la bannière étoilée.

Il se risqua à mobiliser sa mémoire et révéla des pans d'une Histoire passée et présente que l'Amérique vertueuse escamotait ou enterrait.

Et son geste prit valeur d'exorcisme.

Car aucun de ces jeunes gens qui étaient venus écouter de la musique, à Woodstock, ce 18 août 1969, ne voulait de cette Histoire beautiful, endimanchée et aveugle de ses crimes, que les discours officiels répandaient sur les ondes,

alors qu'ils voyaient les ghettos des Noirs privés de droits civiques s'embraser un à un, et les émeutes succéder aux émeutes à Los Angeles, à Harlem, à Cleveland, à Detroit, à Savannah, à Newark, à Chicago, et dans plus de cent villes,
alors qu'ils voyaient les Indiens croupir dans d'infamantes réserves et se suicider lentement en dansant la danse du hibou pour les touristes du dimanche, ou attendre un rôle de figurant dans un western de série B en y feignant la mort dans un combat perdu d'avance,
alors qu'ils voyaient revenir de Saigon des soldats amputés de leurs membres, hallucinés d'horreur, complètement défoncés, et certains rendus fous, puisque la guerre, j'en suis certaine, peut rendre fou.

Les jeunes gens venus à Woodstock pour ces trois jours de paix et d'amour ne voulaient pas d'une vie salopée à tout jamais par la guerre.
Aucun ne voulait mourir dans la forêt hagarde de Ho Bo, ou le corps enlisé dans les rizières de la Drang quand la mousson transforme le monde en boue.
Aucun ne voulait rouler en Jeep sur des pistes minées, ni piloter un C-130 tout empli de cadavres,
ni ramper la nuit dans une jungle inextricable, bourré de Dexedrine, et le visage peint grotesquement en vert, ni tomber brusquement dans une fosse hérissée de pieux.

Aucun ne voulait flinguer des niaquoués, ni empiler leurs corps à coups de rangers, ni mettre le feu à leurs paillotes, ni tirer sur leurs poules, même si détruire était devenu, pour certains, un vice.

Aucun ne voulait mettre son pied sur une mine, ni se prendre une grenade dans les couilles, ni une roquette dans le bide, ni un gaz paralysant dans les yeux.

Aucun ne voulait vivre avec un esprit vidé de sa jeunesse, vidé de sa morale, vidé de toute joie, avec juste un désir au fond de soi : être blessé afin de foutre le camp au plus vite.

Aucun ne voulait faire acte de courage quand le courage consistait à décharger son arme sur un Viet terrifié, et vivre le restant de ses jours avec le souvenir atroce de son regard.

Aucun n'était fait pour ça.

Aucun ne voulait enfourner les corps en pièces des GI dans des sacs à macchabs, comme on les appelait, ni vomir son horreur dans des chiottes de fortune.

Aucun ne voulait pleurer devant le sentiment horrible d'être abandonné de Dieu et du monde entier.

Ce qu'ils voulaient, ces jeunes gens venus à Woodstock pour trois jours idéaux, c'était écouter *The Star Spangled Banner*, là, debout, robustes et bien vivants, en live plutôt qu'au travers d'écouteurs qu'il fallait, dans la jungle, plaquer sur les oreilles pour atténuer le bruit des hélicos qui ne cessaient leur bourdonnant va-et-vient, ou qui touchés par la mitraille s'écrasaient sur le sol tels d'énormes oiseaux de proie, dans un fracas que la musique de Hendrix, ce matin-là, rendit réel jusqu'à l'hallucination.

Car Hendrix fit ceci : il s'empara de l'hymne américain, lui arracha ses vieilles fringues et les médailles qui cliquetaient sur sa poitrine militaire, et il y introduisit son refus violent d'un monde violent, un refus d'une violence folle, d'une violence cent fois plus violente que toutes les violences qui, çà et là, explosaient.
Hendrix se réappropria une violence que la jeunesse de son époque n'avait fait, jusque-là, que subir.
Il se la réappropria comme une part revendiquée de lui-même,
comme une force de combat,
une force de vie,
démesurée.
Une Furie en lui se dressa contre l'afféterie,
contre le mensonge,
contre la guerre qui est la plus laide des laideurs,
contre les crimes organisés par le gouvernement dont une part de l'Amérique, benoîtement, s'accommodait,
contre les passions enragées de la mort chez ceux qui ne risquaient nullement de mourir, je veux parler de ces puissants qui s'obstinaient, les uns par intérêt, les autres par orgueil imbécile, dans une guerre de désastre.
À coups de décharges électriques, il ébranla l'espace, et les esprits.

Il eut la violence terrible, implacable, des doux.

Et le calme.

La vérité et la justice exigent le calme, et pourtant n'appartiennent qu'aux violents.

Hendrix usa de sa violence comme on use d'une arme pour imposer la paix.

Puis, cette violence, il la convertit en beauté, car c'est la seule conversion qui vaille.

Une beauté extrême, paroxystique, je voudrais trouver des mots neufs. Une beauté chargée d'horreur, insoutenable, j'y reviendrai.

Une beauté monstrueuse.

Mais pour qu'un homme ait pu dire monstrueusement
le monstrueux d'une époque, pour qu'il ait pu exprimer
le pire, encore fallait-il qu'il ait lui-même vécu le pire
en lui et hors de lui.

On ne tutoie pas sans raison le tonnerre.

Encore fallait-il qu'il ait admis que le mal et la violence
étaient irréversiblement inscrits dans son enfance et
dans son legs.

Encore fallait-il qu'il ait suivi, dans sa jeunesse, un
apprentissage poussé de la misère, et retenu, au passage,
quelques déterminantes leçons d'abîme.

Encore fallait-il qu'il ait livré une guerre civile en lui et
contre lui, et approché les bords de son propre gouffre.

Mais cela ne suffisait pas.

Il fallait, à la différence de la plupart d'entre nous qui ne
pensons qu'à refouler notre douleur et à l'esquiver par
mille feintes, il fallait un jeune homme qui ait accepté
de la regarder en face (sa douleur) et de l'empoigner, et
d'empoigner du même geste tout le bien tout le mal, tout

le noir et le rose (le rose dont il se drapa, par dérision, le temps d'une photographie), toute la gloire et la lie, toute la merde et l'or et ce qu'il y a entre les deux, bref, de prendre, dans une même brassée, toute la vie.

Il fallait un jeune homme animé d'un tel courage. Pourquoi parle-t-on si rarement du courage dans l'art, alors qu'il est à son principe?

Il fallait un jeune homme dont le sens aigu de la beauté ait en lui, pour inséparable corollaire, une égale sensibilité à l'horreur.

Il fallait un jeune homme qui puisse dire, mieux que tout autre, cet état d'abandon et de solitude dans lequel sont, au fond, tous les hommes, qu'ils en aient conscience ou pas. Je tiens que la musique reçoit ses beautés d'évoquer cette condition d'abandon, disait le philosophe Jean-François Lyotard.

Il fallait un jeune homme qui sache user de la force que lui donnaient le sang de sa jeunesse et son amour démesuré de la musique, pour la greffer à cette intensité sombre que lui donnait sa conscience du pire.

Et Hendrix fut celui-là.

Irremplaçablement.

Il faut beaucoup de chaos en soi pour accoucher d'une étoile qui danse.

Hendrix fut celui qui, parce qu'il avait vécu le pire, fit danser les étoiles sur la bannière américaine.

Car Hendrix avait vécu le pire.

Car il avait grandi sans mère. Est-il pire chose au monde ?

Comment le dire sans mièvrerie ? Est-il pire chose au monde que de s'endormir sans baisers sur le front, sans histoires de loups qui mangent les grand-mères, sans ce regard posé sur vous qui vous dessine et qui vous fonde, sans ces mains qui ramènent le drap sous votre petit menton, qui arrangent votre col de chemise froissé, qui lacent vos souliers et caressent vos joues toutes mouillées de sucre ?

Sa mère l'abandonna souvent et durant de longs mois.

Sa mère ne parvint pas à être mère.

J'ignore les raisons de cet empêchement qui, probablement, la brisa. Ce que je sais, c'est que Jimi n'eut pas, auprès de lui, une mère pour lui dire tu es beau, tu es mon enfant, mon chéri, mon trésor adoré, pour se réjouir de ses petites joies, pour fêter ses quatre ans et guetter tendrement ses progrès en paroles.

Pas de mère pour rafraîchir son front lorsqu'il avait la fièvre.

Pour poser un baiser sur la plaie du genou, mon tout-petit, mon cœur, mon bébé, ce n'est rien.

Pour combattre la peur, la peur du noir, la peur des autres, la peur de tout, et le garder du mal.

Pour répondre aux questions sur la naissance des bébés, Par quel trou ils sortent vu la grosseur de leur tête ? sur les morts qui vont au ciel et qui n'en tombent pas, Comment ils tiennent là-haut alors que c'est de l'air ? sur l'argent gagné par Frank Sinatra, C'est combien par rapport à papa ? sur l'amour, Qu'est-ce que ça veut dire faire l'amour ? Est-ce que c'est se coller contre quelqu'un ? ou pire ? mais alors quoi ? Est-ce qu'il faut être nu ? Bobby a dit qu'il fallait être nu, mais pourquoi ? Est-ce que tous les parents se disputent ? Pourquoi le mot pipe fait rire Chuck ? Pourquoi certains jours les adultes titubent ? Pourquoi ils parlent comme s'ils avaient de la farine dans la bouche et se mettent à pleurer pour des bêtises ? Est-ce qu'ils n'ont pas assez mangé ? Enfin, toutes ces perplexités qui occupent l'esprit des petits enfants.

Hendrix n'eut pas de mère à qui dédier cette victoire que sont les premiers pas tâtonnants dans le monde, pas de mère vers qui courir, les bras tendus.

Pas de mère à qui dire Aide-moi. Défends-moi. Sauve-moi de la solitude. Apprends-moi à vivre. À me battre.

Pas de mère qui simplement l'assurât qu'il était digne d'amour.

Juste avant de mourir, Hendrix écrivit une chanson où il se demandait, avant de sortir du ventre maternel, si on voulait bien de lui dans les parages, ajoutant que, par l'ouverture du nombril, il n'avait aperçu au-dehors, avant de s'y risquer, que des visages renfrognés et la folie compliquée des adultes.

Peut-on imaginer la douleur d'un destin marqué par un accueil dans l'existence aussi rébarbatif, aussi cruellement privé d'égards ?

Peut-on imaginer le combat de haute lutte que Hendrix dut mener pour apporter la preuve qu'il méritait une réception un peu moins lamentable ?

Hendrix mena ce combat.

Et l'on peut dire qu'en partie il le gagna.

Mais en partie seulement. Car si son père fut le témoin comblé de son triomphe, sa mère mourut sans savoir qu'elle avait donné la vie à un enfant prodige que les lions des montagnes avaient un jour posé sur les ailes d'un aigle, je cite Hendrix lui-même.

Si vous ne voulez pas de moi, je serai ravi de retourner dans le territoire des esprits pour m'y reposer un peu, écrivit-il.

C'est ce qui lui arriva, en un sens, quelques mois à peine après qu'il eut composé ce texte.

Dès sa venue au monde, Hendrix, disais-je, connut le pire.

Et les conditions qui présidèrent à son expulsion (tel

est le terme exact en langage obstétrique) ne furent pas, semble-t-il, des plus avenantes. Elles auraient pu même le briser irrémédiablement.

Car Hendrix naquit avec, derrière lui, une somme de vies brisées, de destins lamentables et d'exils douloureux dont il porta toute sa vie le poids et, devant lui, des gens qui se faisaient la gueule.

Il n'était pas tombé dans la maison du bonheur.

Voici ce qu'en dit la Légende.

Un jour, Al Hendrix, son père, rencontra Lucille, sa mère.

Ils dansèrent. Se plurent. S'épousèrent. Dans cet ordre.

Lucille était la fille de Preston, un métis né de l'union d'une esclave émancipée et de son ancien maître, et de Clarice, une métisse.

Al était le quatrième enfant de Ross, un policier noir de Chicago, et de Nora qui s'enorgueillissait d'être la petite-fille d'une princesse cherokee mariée à un colon irlandais et la fille d'un métis, Robert, et de son épouse noire, Fanny.

Très vite Lucille tomba enceinte et Al fut envoyé au front, du côté de l'Alabama. Première déveine.

La nuit du 27 novembre 1942, *la lune vira au rouge* comme le jour où l'Agneau ouvrant le sixième sceau vint annoncer la grande ire divine, et un garçon naquit que Lucille baptisa Johnny Allen.

Lucille et Johnny (qui deviendrait un jour Jimi) errèrent de pension miteuse en pension miteuse et finirent par échouer dans un garage humide que des propriétaires blancs avaient cédé à leur bonne à tout faire Clarice, qui n'était autre que la mère de Lucille.

Très vite Lucille qui avait dix-sept ans et les penchants propres à son âge abandonna son fils à sa mère, à sa sœur, à sa voisine, et à n'importe qui, pour s'en aller danser.

Lucille était une chatte, c'est ainsi que je l'imagine.

Lucille avait la grâce folâtre des chattes et des tendresses fantasques de chatte à l'égard de son petit (qu'elle oubliait totalement lorsque s'ouvrait la sauvage saison des amours, ce qu'on ne peut raisonnablement reprocher à une chatte).

La nuit, donc, Lucille fuguait et s'en allait danser, dans des juke joints pour Noirs, le fox-trot et le boogie-woogie, jouant des fesses avec une virtuosité remarquable, tandis que les hommes, plantés sur le bord de la piste, lui sifflaient leur admiration.

Entre deux danses, elle buvait le whisky (lequel, comme on le sait, a un effet inhibiteur sur la morale mais désinhibiteur sur les sens) que ces messieurs, faisant autour d'elle une haie amoureuse, lui offraient.

Et lorsqu'elle était tout à fait saoule, elle tombait dans les bras accueillants de ceux que les remuements fiévreux de son derrière avaient rendus tout choses.

L'un d'eux se montra plus chose que les autres, et devint son amant.

Il se prénommait John.

Al revint au foyer à la fin de la guerre et mit bon ordre à tant d'intempérance.

Il chassa la volage en lui hurlant d'aller se faire foutre ailleurs et, fort exaspéré, s'installa avec son fils chez sa belle-sœur Dolores, laquelle lisait tout le jour des magazines people qui feraient, plus tard, les délices de Jimi. L'année suivante, Al, qui avait pris en grippe le prénom de son enfant car il lui rappelait celui de l'amant de sa femme, un certain John Page, rebaptisa son fils James Marshall, que tout le monde, désormais, appela Jimmy deux m et y.

Lucille, quelque temps après, regagna le foyer avec cet air faraud des chattes au retour de maraude.

Mais très vite Lucille, confinée, s'ennuya ; pour supporter l'ennui, se saoula ; Al hurla ; Lucille pleura ; de chagrin se remit à boire ; sortit danser pour se distraire ; dansa jusqu'à s'étourdir ; accoucha d'un second fils Leon ; commit de nouvelles frasques ; acheta par manque d'argent des choses à crédit qui lui revinrent le double du prix comptant ; Al l'engueula ; Lucille chagrinée alla chercher la bouteille d'alcool qu'elle avait cachée dans l'armoire, but à longs traits à même le goulot, croqua un sucre pour effacer l'odeur, et revint en titubant dans la cuisine ; Al fit une scène, la traita de pocharde, de traînée, de pute et de négresse et lui hurla d'aller se beurrer la gueule ailleurs et le plus loin possible ; Lucille implora Je ne le ferai plus ; Al résista Je connais ta chanson ; un reproche en entraîna un autre selon une mécanique bien connue ; la discussion dégénéra mathématiquement en bagarre ; Lucille s'accrocha à Jimi qui était comme paralysé ; Al lui gueula d'emballer ses affaires de merde, pointa un doigt comminatoire en direction de la porte, et finit, à bout de nerfs, par la pousser dans l'escalier.

Le petit Jimi se réfugia dans sa chambre pour pleurer sans qu'on le vît, et son père dut passer sur le gramophone je ne sais combien de disques de Muddy Waters que l'enfant adorait avant que ses larmes ne sèchent, mon ange.

Jimi avait huit ans.

Lucille congédiée (l'avait-elle cherché ? l'avait-elle voulu ?) se mit à boire de plus belle et tomba sur des amants qui la battirent comme plâtre.

Elle visitait quelquefois Jimi à la sauvette, l'étreignait jusqu'à l'étouffer contre sa maigre poitrine et le couvrait de baisers qui avaient un arrière-goût d'ammoniaque.

Une fois sa mère partie, Jimi observait dans un miroir ce visage auquel la myopie donnait un air absent, ce visage qu'il jugeait trop ingrat pour retenir auprès de lui cette mère enfantine, au teint terreux et aux cernes de plus en plus noirs.

Loin de ses enfants, Lucille commença de mourir.

Elle mourut réellement en 1958, d'alcool et de chagrin.

Et surtout de chagrin.

Elle avait trente-deux ans.

La vie l'avait usée, comme on le dit si bien.

Mais pour Jimi, elle devint plus vivante que vivante, et plus regrettée encore.

Il repensait souvent à sa dernière visite dont il ignorait alors qu'elle serait la dernière.

Il se faisait mille reproches : il n'avait pas été avec elle assez gentil, assez prévenant, assez affectueux, il ne s'était pas avisé que ses mains tremblaient de façon anormale, il ne s'était pas avisé que son visage s'était amaigri et que son ventre avait gonflé en raison de l'ascite, il ne s'était pas avisé qu'elle l'embrassait comme si elle ne devait jamais plus le revoir.

Avec le temps, il eut le sentiment que sa mère exerçait sur lui, depuis sa mort, une emprise plus grande qu'elle ne l'avait été de son vivant.

Sa mère s'installa en lui.

Et s'immisça dans ses rêves.

Est-il rien de plus réel qu'un rêve ?

Certaines nuits, il la voyait danser, puis chanceler, puis chavirer, puis se lever, puis tomber, puis se relever, puis retomber, et ainsi un grand nombre de fois, jusqu'à ce que, finissant par chuter raide morte sur le sol de son rêve, le fracas de sa chute l'arrachât au sommeil.

Alors il se dressait d'un bond, maman !, la poitrine oppressée, trempé de sueur, en proie au sentiment insupportable de n'avoir pas su empêcher sa jeune mère de sombrer.

Et ces jours-là, il regrettait de vivre.

Et l'absence de sa mère s'agrandissait aux dimensions du monde.

Il aurait voulu réécrire toute son histoire avec elle dès le commencement : il l'aurait dissuadée de partir et de se saouler la gueule, il lui aurait dit je t'aime, bien plus souvent, il lui aurait dit tu es belle et tu danses à merveille, il lui aurait dit maman tu n'es pas méchante, ne cherche pas à te punir, il aurait obtenu de bonnes notes en maths et en physique rien que pour lui faire plaisir, il ne se serait plus disputé avec son frère Leon, bref, il aurait été un fils irréprochable.

Puis il se ravisait. Ce qui était fait était fait. Il fallait qu'il pensât à autre chose, qu'il arrachât de sa tête la pensée de sa mère. Alors il écoutait plusieurs fois d'affilée *The Best of Muddy Waters*.

Mais ses rêves n'étaient pas obéissants. Ses rêves indociles faisaient ce qu'ils voulaient. Ses rêves rapatriaient sa mère dans sa tête sans demander nulle permission, et faisaient, comme toujours, le théâtre que bon leur semblait. Et la nuit suivante, sa mère s'adressait à lui comme on s'adresse à l'étranger. Elle était distante. Elle lui parlait d'une voix impersonnelle. Au lieu de l'appeler Jimi, elle l'appelait Johnny. Et au réveil, Jimi ne savait plus s'il s'appelait Johnny ou Jimi. Mais comment je m'appelle ? Comment je m'appelle ? Et durant toute la journée, il conservait dans sa poitrine la trace anxieuse de sa question. Sa mère s'immisça dans ses rêves et, si l'on en croit les experts freudiens qui ont la manie de soulever les jupes du langage, elle s'immisça aussi dans les textes de ses chansons,

Un souriant portrait de toi pend toujours à mon mur ridé.

Sa mère errante et vulnérable qu'il avait vue tant de fois supplier son époux qu'il la gardât auprès de lui pour que tout recommence.

Sa mère qu'il avait vue tant de fois pleurer comme pleurent les ivrognes qui pleurent d'un malheur qu'ils ne peuvent nommer.

Sa mère dont le visage plein de larmes surgissait parfois, avec la soudaineté d'une apparition, sur un mur, dans la rue, ou sur les vitres d'un magasin, le regardant du fond d'il ne savait quel purgatoire et implorant éperdument sa pitié.

À la dérive, dans une mer de larmes oubliées, sur un canot de sauvetage, je vogue à la recherche de ton amour.

Sa mère qu'il décrivit dans certains de ses textes comme la figure inversée de ce qu'elle fut de son vivant : solide, aimante et salvatrice, veillant sur lui, et l'appelant près d'elle depuis le ciel ou dans le fond tranquille et insondable de l'océan.

Sa mère, son ange, et son espoir de salvation.

Mon Ange est descendue des cieux hier, elle est restée juste assez longtemps pour me sauver.

Idéalisation maternelle dont le revers fut sans doute, si l'on en croit les experts freudiens, son impossibilité à aimer durablement d'autres femmes.

Car Hendrix dilapida les femmes comme il dilapida son fric. Même désinvolture. Et même entrain.

Hendrix baisait avec elles, entre deux concerts, puisqu'elles étaient, si j'ose dire, à disposition, tout comme les boîtes de jus de fruits rangées dans le minibar de sa chambre. Il saupoudrait légèrement leur chatte de coke (pratique à la mode chez les chanteurs de rock et dont je découvris l'existence avec une stupeur émerveillée), restait une heure ou deux entre leurs jambes, juste pour ne pas être seul, juste pour se détendre, ou se faisait tailler une pipe, et hop, à la suivante.

Était-il cynique ? Je ne le crois pas. Il vivait simplement l'instant présent. L'époque y incitait. L'époque encourageait à la dépense, à l'insouciance, au dédain de l'avenir. L'époque affirmait que vivre c'était vivre ici et maintenant. Songer à sa carrière, amasser, engendrer, prendre femme, rester conjugalement lié apparaissaient comme autant d'insanités bourgeoises.

Hendrix, qui avait la réputation d'un baiseur, d'un cœur errant, ainsi qu'il se peignait, était célibataire dans le fond de son âme.

Et s'il parvint à nouer quelques liens féminins durables avec Linda, Kathy, Devon ou Monika, ce fut sans jamais thésauriser sur l'avenir et sans désir aucun de se perpétuer.

On fait l'amour, on le brise, c'est toujours pareil.

Hendrix le solitaire faisait l'amour, le brisait, c'était toujours pareil, comme si nul amour ne pouvait se mesurer à l'amour qu'il portait à sa mère idéale, précocement perdue. Banalité, me direz-vous, banalité qu'on ose à peine écrire tant elle relève du lieu commun, mais banalité ravageuse comme le sont souvent les banalités. Et s'il conçut toute relation amoureuse comme une illusion, une tromperie ou un marché de dupes, si les déboires amoureux lui parurent inévitables, ainsi qu'il l'affirma dans ses chansons,

si le naufrage de l'amour fut, dès ses commencements, programmé,

s'il se moqua avec humour des grands sentiments conjugaux et de leur tintouin ridicule,

l'enseignement qu'il tira de son deuil maternel fut :

— un, que vivre c'était vivre seul, il fallait qu'il se mît ça dans le crâne,

— et deux, que tant qu'à vivre seul, autant se tenir à ce qui jamais ne mourrait : je veux parler de la musique.

Mais revenons à Al qui, en père autoritaire, interdit à ses deux fils d'aller à l'enterrement d'une mère qu'il jugeait indigne, ainsi que de porter un crêpe noir autour du bras comme c'était l'usage.

Cela ne fit qu'ajouter à la tristesse de Jimi, le remords de n'avoir pas dit adieu, ni demandé pardon.

Je pense qu'il en fut, toute sa vie, inconsolable.

Je pense qu'il en porta la culpabilité jusqu'à sa mort.

Je pense que, faute d'avoir porté un crêpe noir à son bras, il le porta sur son cœur toute sa vie, ici larmoiements de rigueur.

Les enfants furent confiés à leur tante Patricia, à Vancouver où ils restèrent deux années.

Après quoi, Jimi retourna vivre avec son père et grandit comme il le put, à la va-comme-je-te-pousse, et le plus souvent seul.

La Légende, qui aime le mélodrame, nous fournit un épisode de sa vie qui concentre en quelque sorte tous les chagrins dont il souffrit à cette époque.

Le voici.

Jimi fut renvoyé, un jour, de l'office religieux de l'église évangéliste de son quartier, au motif que sa tenue vestimentaire laissait à désirer.

Jimi avait huit ans.

Sa mère avait quitté, depuis quelque temps, la maison. Et son père, très chatouilleux en matière de morale, se montrait beaucoup plus négligent en matière de soin, les choses du paraître ne l'occupant que peu.

Jimi était mal vêtu, mal coiffé, mal chaussé, mais il avait sur la figure cet air rogue des enfants qui tentent, dans un sursaut d'orgueil, de donner le change, et qui crânent.

Dans cette vie assez calamiteuse qu'il endurait, la messe du dimanche constituait l'un des rares moments heureux de sa semaine.

Les récits fantastiques des prédicateurs sur la vie éternelle et le Jugement dernier le passionnaient autant que les histoires cherokee de sa grand-mère. Les lectures fébriles de l'Ancien Testament sur l'Exode et la Terre promise réveillaient en lui le rêve poignant des choses perdues et, par la grâce de Dieu, miraculeusement rendues. Les voix ferventes chantant toutes unies les louanges du Seigneur et les gloires de la vie éternelle le transportaient délicieusement, tandis qu'autour de lui les corps en prière se tordaient comme des torchons qu'on essore à la seule évocation des plaies du Christ, ce qui lui faisait dire que, comparé aux orants de son église, Elvis, son cher Elvis, n'avait vraiment rien inventé question transes, trémoussements, torsions du cul et autres frénétiques trémulations.

Ça chauffait dans l'église, ça chauffait. Et Jimi aimait voir tous ces derrières agités par le souffle divin et toutes ces voix unies monter au ciel dans une vibrante adresse au Seigneur Tout-Puissant (qu'il se représentait bicolore tant il était animé d'un esprit d'équité : le visage de Charlton Heston, peau noire, barbe blanche et l'air totalement effondré devant le résultat).

Or, un jour, Jimi fut chassé de l'église d'amour qui accueillait les grosses dames convenables et les familles au complet en toilette du dimanche.

L'église d'amour où l'on chantait passionnément Oui je désaltère l'être fatigué, tout être mortifié je le remplis et le secours de six détresses, l'église d'amour chassa comme un malpropre un enfant de huit ans dont la mère s'était barrée sans laisser d'adresse et qui, vestimentairement parlant, ne semblait pas très, j'allais dire pas très catholique.

Jimi éprouva ce jour-là une honte totale.

Une honte d'être.

Il se dit qu'il ne s'en relèverait pas.

Il se dit qu'il allait en mourir.

Il se dit que, s'il avait pu supporter jusque-là de petites

hontes locales, il ne pourrait jamais se relever de cette honte totale de lui-même.

Il se dit que tout le monde allait lire sur son visage son sceau infamant, non, il ne dit pas son sceau infamant, c'est moi qui le dis, il dit sa marque.

Il se dit que la marque de la honte resterait inscrite en lui à jamais. Qu'elle le tuerait.

Sur le chemin de retour, il ne put retenir des sanglots de désespoir. Et à travers ses larmes, il traita le pasteur de connard, de flic, d'enculé, de fils de pute, de sale con et de tous les mots grossiers qu'il avait appris depuis qu'il allait à l'école.

Arrivé chez lui, il s'abattit sur le lit, torturé de chagrin, adressa en pleurant des reproches à sa mère, pourquoi elle n'est pas là cette conne! pourquoi elle n'est pas là cette pocharde! pourquoi elle n'est jamais là quand il faut!, et il pleura longtemps la tête enfouie dans l'oreiller, maman, maman, maman. D'une voix pleine de larmes, il balbutia encore quelques injures à l'adresse du connard de pasteur qui l'avait humilié, puis quand il fut un peu calmé, quand les derniers sanglots arrivèrent amortis dans sa poitrine, il se jura de ne plus jamais mettre les pieds dans une église, jamais, jamais jamais jamais jamais jamais jamais jamais jamais jamais jamais jamais. (Il ne vécut pas assez longtemps pour se réjouir malicieusement de voir cette église évangéliste qui l'avait mortifié prier en 2010 pour que Dieu Tout-Puissant protégeât ses actionnaires et

60

leurs énormes capitaux dangereusement menacés par la Crise.)

En rentrant du travail, son père demanda banalement à Jimi Tout va bien?

Et Jimi répondit Ça roule.

Il avait juste le menton qui tremblait un peu.

La Légende hendrixienne qui se délecte du pathétique, un peu trop quelquefois, c'est l'un des travers qui guettent les légendes, et celle que j'écris est loin d'en être exempte, la Légende hendrixienne relate encore bien d'autres infortunes.

La Légende hendrixienne dit que l'argent, à la maison, manquait cruellement.

Que le père vivait avec ses fils dans un grand dénuement.

Que le père travaillait comme jardinier et homme à tout faire chez des Blancs cossus de Seattle dont les maisons regorgeaient d'appareils électriques, et dont les épouses blondes aux ongles manucurés cueillaient des roses Cherokee avec délicatesse pour en faire de grands bouquets.

La Légende dit que ce père était autoritaire.

Que l'ombre de son autorité pénétrait toute chose, et surtout l'âme du petit Jimi qui était encore tendre et perméable.

Que Jimi ne protestait jamais contre cette autorité, même lorsque les ordres de son père soulevaient en lui une impuissante fureur.

Qu'il demanda un jour à sa tante : quand est-ce que papa va mourir ? Que sa tante le morigéna. Qu'il reposa la même question le lendemain. Que sa tante lui donna une tape. Qu'il comprit alors que sa question touchait à quelque chose d'important.

Que sa vie avec toutes ces questions importantes qui restaient en suspens, que sa vie était difficile.

Qu'aux questions importantes sur la mort de son père s'ajoutaient les questions importantes sur le départ de sa mère qu'il lui était interdit d'évoquer.

Que chaque fois que son père parlait de sa mère comme d'une salope qui avait abandonné ses enfants, lui, aussitôt, rayait dans son cœur le mot salope, tout en ayant l'air d'approuver par sa mimique la remarque insultante du père, afin de lui complaire.

Qu'il se disait en son for intérieur que si l'opinion de son père sur sa mère se révélait exacte, si sa mère l'avait pour de bon abandonné (quoi qu'il en doutât énormément), si elle avait accepté son congédiement sans rébellion et, pis encore, avec soulagement (ce qui lui paraissait impensable), alors cela voulait dire que ses grand-mères et son père pouvaient agir de même. Et cette hypothèse affreuse l'accablait de désespoir.

Que ce désespoir, certaines nuits, le terrassait. Mais qu'il ne s'en plaignait pas à son père. Ni à personne. Tu as bien dormi ? lui demandait son père. Comme un loir, répondait Jimi sans le regarder.

Que les divers logements où il vécut jusqu'à l'adolescence étaient tristes et laids.

Qu'il aimait la beauté. Que tout petit déjà, il aimait la beauté. La beauté des habits, la beauté des blondes qui ressemblaient à Marilyn et la beauté des guitares.

Que, d'ailleurs, pour embellir sa guitare, il la repeignit de ses mains. En rouge vif.

Qu'il accrocha en guise de décoration, sur le mur d'un des nombreux appartements où il vécut, un calendrier illustré d'une Indienne descendant en pirogue une rivière verte et bleue et sur lequel on pouvait lire l'inscription Dieu les aime tous. Que ce calendrier lui rappelait sa grand-mère Nora qui était la personne qu'il aimait le plus au monde. Après sa mère. Et après sa guitare. Laquelle n'était pas une personne, mais presque. Que s'offrir un cornet de glace représentait pour lui un luxe inconcevable. Qu'il en rêvait.

Qu'il rêvait aussi d'avoir une montre-bracelet avec un chronomètre intégré. Ça existait.

Qu'il chaparda quelquefois à l'étalage des magasins. Qu'il courut comme un fou jusqu'à sa maison avec les objets chapardés, et qu'il rit comme un fou en les montrant à son frère Leon. La Légende, pudique, ne précise pas quels furent ces objets. Des petites voitures ? Des friandises ? Des fruits ?

Qu'il fit la cueillette des fraises quand ce fut la saison, pour gagner cinq dollars et acheter du pain et des haricots rouges.

Qu'il fut conduit en camion, avec d'autres enfants noirs de son âge, à la périphérie de Seattle, jusqu'à des champs de fraises.

Qu'en début de journée il s'amusa beaucoup avec les autres enfants de son âge. Puis que le contremaître les engueula et déclara Vous êtes ici pour travailler, pas pour faire les cons. Et qu'ils ne mouftèrent plus.

Qu'il mangea tant de fruits qu'il en eut une indigestion.

La Légende dit que sa grand-mère Clarice lui rapportait les magazines que ses patrons avaient déjà lus.

Que sa grand-mère Clarice recyclait ainsi un certain nombre de choses usagées dont ses patrons ne voulaient plus. Qu'elle en avait le droit. Que ses patrons étaient bons : ils lui donnaient les restes.

Qu'elle aurait pu écrire un énorme traité sur l'art d'accommoder les restes (comme ma mère).

Qu'elle était écologiste avant l'heure.

Que Jimi prenait beaucoup de plaisir à lire les revues récupérées par sa grand-mère, et surtout les pages consacrées à Elvis entouré de blondes incendiaires dans les magazines *Rock and Roll Songs* achetés pour le fils de la maison.

Qu'il était fasciné par les blondes incendiaires.

Que plus tard il les collectionna.

Qu'il craqua (ce fut une rumeur) pour B.B. lors d'une brève escale à Paris.

Qu'il aurait été fou, je crois, de la chanteuse Duffy s'il avait vécu assez longtemps pour la connaître. Qu'il l'aurait draguée comme un malade.

Qu'il rêvait d'être sapé comme Elvis. Qu'il était très loin de l'être. Que la veste à carreaux que lui avait achetée sa tante en prévoyant qu'il grandirait était beaucoup trop grande. Qu'il devait retrousser ses manches pour ne pas avoir l'air d'un clown. Qu'il aurait aimé grandir à toute vitesse et porter des costards roses à revers pailleté, le must. Qu'il repensait souvent à l'épisode de l'église qui l'avait mortifié. Qu'il se disait qu'un jour, plus tard, il serait mieux sapé qu'Elvis.

Qu'en attendant d'être mieux sapé qu'Elvis, il apprenait par cœur ses chansons et les chantait le soir à son petit frère Leon, avant qu'il ne s'endorme.

La Légende dit aussi que l'école fut son tourment (l'école est souvent un tourment pour les enfants privés de mère, leur manque sans doute cette confiance en un savoir maternel qui ouvre au savoir tout court, les psychiatres savants l'expliquent de la sorte).

Qu'il y fut médiocre avec obstination.

Qu'il ne récolta que des mauvaises notes, même en matière de solfège.

Qu'il se tritura les méninges pour savoir comment il les annoncerait à son père dont il craignait les réactions.

Qu'à l'école il se liait peu.

Qu'il était taciturne.

Qu'il avait l'esprit ailleurs.

Qu'il restait à l'écart pendant la récréation, sa réserve farouche décourageant toutes les avances, T'as avalé ta langue?

Qu'il se montrait incapable de commettre la moindre méchanceté, ce qui intriguait les autres écoliers et suscitait leur réprobation unanime, T'as pas de couilles?

Qu'il ne cherchait nullement à se défendre, ni à se rebiffer, encore moins à riposter.

Qu'il ne s'ouvrait jamais de ses chagrins, tout ficelés qu'ils étaient à l'intérieur de lui, à l'instar de ceux qui connaissent si précocement le malheur qu'ils l'intègrent comme une chose allant de soi.

Taisant les choses intimes que son orgueil tenait farouchement secrètes.

Ne cherchant jamais à s'attendrir sur lui, ni à apitoyer les autres. En dépit des soirs de détresse où son père entrait en titubant et l'engueulait, à peine arrivé, d'une voix pâteuse, avant de s'écrouler sur son lit, complètement bourré, en marmonnant qu'il allait descendre Eisenhower en personne et le putain d'amant de la putain de Lucille, il fallait pas le chercher! bordel de Dieu!

Conscient très jeune de la pauvreté des siens, car les enfants portent très tôt, contrairement à ce qu'on pourrait croire, un regard d'une acuité déconcertante sur la condition de leurs parents et sur le monde qui les entoure.

Conscient donc de ce que signifiait pour sa grand-mère Clarice devoir porter les habits usagés de sa patronne qui lui serraient trop la poitrine.

Conscient de ce que signifiait pour son père devoir travailler comme jardinier pour des Blancs qui ne lui avaient jamais jamais jamais serré la main, et ne lui avaient jamais jamais jamais permis de pénétrer ailleurs que dans leur cuisine.

D'autant plus conscient de sa triste condition à lui, matérielle et affective, qu'il avait entendu plusieurs adultes murmurer en le regardant : pauvre petit, sur un ton de commisération qui lui avait fait horreur.

Mais pour que rien ne manque à la Légende qui entrelace toujours bonheurs et afflictions en un savant dosage, le temps est venu de dire que l'enfant, en grandissant, trouva, pour tromper ses chagrins, une passion qui devint, très vite, exclusive.

Depuis que son père lui avait acheté, pour la somme de cinq dollars, sa première guitare, l'enfant s'enfermait dans sa chambre dès qu'il en avait le loisir, se composant un look rock du tonnerre, révisant continûment son jeu de jambes, se livrant à des déhanchements frénétiques, des contorsions cadencées du cul, des mouvements giratoires du bassin, des envols emphatiques du bras gauche et autres remuements façon rock, tout ce qu'on appelle, par antiphrase, le grand jeu, pour le distinguer de l'autre, le vrai, à qui il sert de faire-valoir et de valet de pied; et travaillant en même temps le seul jeu d'importance, le jeu des mains et de l'âme (surmontée de trois accents circonflexes sur le a, s'il vous plaît), avec une passion si sauvage et un acharnement tel que son père, impressionné, finit par lui acheter, à tempérament, une guitare électrique.

La Légende dit qu'aucun enfant au monde ne mit, pour obtenir des cookies au chocolat, l'insistance dont Jimi fit preuve en vue d'obtenir l'instrument.

C'était une Supro Ozark blanche.

Une merveille.

Qu'il ne pouvait toucher sans émotion.

Et à laquelle, il n'est pas exagéré de le dire, il se cramponna.

Sa guitare devint l'unique bien à quoi son cœur se voua.

Le centre de sa vie.

Un centre qui lui était d'autant plus nécessaire que la vie de famille, depuis la séparation de ses parents, avait perdu le sien (centre), sa mère se mourant d'alcoolisme il ne savait en quel mouroir et son frère Leon placé en famille d'accueil.

Sa guitare fut sa raison de vivre,

sa consolation,

son garde-fou,

le chien accroché à ses basques jusqu'à la fin des jours,

sa lady électrique,

son seul bonheur,

sa seule force,

sa passion,

qui ne souffrait nulle rivale,

et à laquelle il se donna sans mesure.

Sans mesure.

À peine avait-il un instant qu'il répétait les standards de l'époque entendus à la radio ou les musiques qu'il écoutait sur les disques de son père qui avait été dans sa jeunesse danseur de jazz, *Ramène-toi poupée, ça remue tant qu'ça peut, oui j'ai dit ramène-toi poupée, tu peux pas te tromper…*

Jouant de sa main gauche, car il jouait en gaucher, sur un instrument de droitier dont il avait inversé les cordes, il répétait sans fin les airs de Jerry Lee Lewis, d'Elvis Presley, de John Lee Hooker, de Dean Martin, d'Eddie Cochran, de Chuck Berry, de Fats Domino, je les cite en vrac, de Buddy Holly, de Bill Haley, de James Brown, d'Otis Redding, de Lester Young, de Duke Ellington, de BB King, de Ray Charles, comment les dire tous ? mais surtout, surtout, de Muddy Waters, le bluesman qu'il trouvait géant.

Hendrix se tint à sa guitare comme à la main qui sauve. Si bien qu'il finit par la connaître comme un aveugle sa maison : ses surfaces, ses cordes, ses arêtes, son odeur. Sa guitare fut sa maison.

Qu'il transporta toute sa vie sur son dos.

Certains jours de tristesse, il aurait voulu disparaître en elle, s'y enfouir, y rester, c'est ce que j'imagine pour vous le faire aimer, tout en sachant pertinemment que je ne saurai jamais, que nul ne saura jamais, ce qui gisait dans le fond de son cœur.

Jouait-il mieux, adolescent, que les jeunes apprentis guitaristes de son âge ? Je ne sais pas. Ce dont je suis

73

sûre c'est que le distinguaient absolument des autres la passion insensée, l'acharnement sauvage et la patience infinie qu'il mettait à mieux user de sa guitare, à mieux lui obéir, à mieux s'y accorder, jusqu'à faire d'elle une part de lui-même, jusqu'à ce que le geste de pincer ses cordes devienne aussi simple et aussi naturel que celui de marcher ou de boire.

Le métier rentrait, comme le dit si bien l'expression française.

Au retour du travail, son père lui demandait sévèrement s'il avait fait du rangement, car il tolérait mal que son fils opérât la moindre brèche dans ses principes éducatifs. Jimi, qui était censé tenir le ménage, levait alors sur son père ses yeux opaques et doux, et répondait par l'évasive. Ou bien il baissait la tête, muet et comme pris en faute, puis allait se réfugier dans sa chambre où il jouait encore un peu, encore un tout petit peu. Oui j'arrive, disait-il faiblement lorsque son père le réclamait depuis la cuisine pour mettre le couvert, attends, j'arrive, j'arrive. Tu viens tout de suite ou je te traîne par les oreilles? s'énervait le père. Oui papa j'arrive, une petite minute. Je vais finir par m'énerver! criait le père. Deux secondes, disait Jimi, deux petites secondes. Mais bon Dieu comment il faut te le dire! Ça y est j'ai fini, disait Jimi en reposant, à contrecœur, sa guitare sur le lit.

Car il y avait un seul domaine dans lequel le doux Jimi tenait tête à son père, c'était celui, vous l'avez compris, de la musique. Impossible de lui faire lâcher sa guitare, impossible de l'entraîner vers une occupation, disons, moins dévorante.

Pour tout ce qui concernait la musique, Jimi tenait tête à son père avec une ténacité et une détermination si mystérieusement inébranlables que son père, en général, finissait par céder.

Bientôt ses mains devinrent longues et légères, avec ce quelque chose d'ailé dans leurs mouvements qui était une pure merveille. Des mains danseuses, aériennes, infiniment savantes, des mains qui tenaient à la fois de l'alouette et du papillon, voltigeuses, palpitantes, libres, caressantes, des mains d'une infinie délicatesse et que je ne me lasse pas d'admirer sur les quelques films de Hendrix dont je dispose.

Bientôt le corps de Jimi monta en graine avec les manières ondulantes, alanguies, féminines que Federico García Lorca prêtait aux anges noirs de ses poèmes et qui feraient plus tard son charme. Mais à l'âge adolescent où le sens viril et les airs bravaches s'affirment au même rythme que croît la pilosité, ces grâces troubles lui valurent quelques méchantes moqueries.

Ce fut l'époque où son père se mit à brûler sur les tables de jeu le peu d'argent qu'il gagnait, jouant le soir pour rattraper les pertes de la veille, animé du vif espoir de se refaire, échouant dès les premières parties, finissant par miser n'importe quoi et n'importe comment, sans aucune logique ni aucune stratégie, terrassé peu à peu par un désespoir inerte qui l'empêchait de quitter la table de black jack, et buvant, pour se donner du courage, un mauvais whisky qui le rendait irascible et parfois agressif.

Puis il rentrait chez lui en se cognant aux murs, et à peine arrivé, déchargeait son malheur sur le jeune Jimi qui supportait sans un murmure, malgré la révolte qui bouillait en lui, les bourrasques d'un père dont il comprenait confusément la détresse.

Jimi aidait son père à enlever ses bottes et le traînait péniblement jusqu'à son lit en s'appliquant à tempérer sa peur de voir le soûlot injurier et cogner au jugé ses ennemis fictifs que l'abus d'alcool avait rendus, en quelques heures, redoutables.

L'enfant apprit ainsi à exercer un contrôle sévère sur la violence de ses émois, ce qui expliqua, plus tard, le calme impressionnant dont il fit preuve face au climat quasi insurrectionnel qui accueillit certains de ses concerts.

À la longue, les absences nocturnes du père eurent néanmoins du bon, puisqu'elles permirent à Jimi de fréquenter les bars de nuit, les pubs de Seattle et le fameux dancing Spanish Castle dont il ferait plus tard, dans une chanson, un éloge ambigu.

Il y apprit tout ce savoir profane que l'école oublie d'enseigner : les affaires de baise, les façons de tuer le temps lorsqu'il est sale, le goût des cigarettes au shit, et la gueule de bois qui vous ouvre, les lendemains de cuite, à la pure métaphysique.

Il y fit surtout ses premières prestations, toucha ses premiers cachets, et savoura le plaisir de rentrer chez lui à l'heure où les laitiers déposaient devant les portes les bidons de lait bosselés.

Il vécut une vie à l'envers.

Il y prit goût.

La nuit devint son domaine.

Qu'il confondit avec la musique.

Car c'est la nuit que la musique lui venait et le courbait sur sa guitare.

La nuit vaste.

La nuit nègre.

En lutte avec le jour.

La nuit désirable.

Maternelle.

La nuit à boire et à fumer et à baiser et à jamer.

Faut-il toujours que le matin revienne?

La nuit propice aux hymnes célébrant son mystère, son souffle languissant et sa mélancolie.

La nuit dont les esprits trop épris de clarté redoutaient la ténèbre.

La nuit qui, pour le nègre crépu qu'il était, avait cet avantage sur le jour qu'elle annulait les différences de couleur.

Dans la nuit de Seattle, tous les hommes étaient gris.

77

Les Blancs, se disait-il, peuvent garder pour eux le jour criard.

On dit que ceux qui aiment la nuit meurent jeunes, mais qu'ils existent davantage.

Pour son premier concert avec The Rocking Kings, il reçut un cachet de trente-cinq cents.
Ce fut une fête.
Une photographie datant de cette époque le montre cheveux courts, visage ingrat d'adolescent, veste rouge à revers et cravate assortie. Il n'est pas encore Jimi Hendrix. Il n'a pas encore trouvé sa forme. Il est tout près de la trouver. Il la trouvera à New York. Bientôt.

En 1960, il peignit en rouge la nouvelle Danelectro que lui avait achetée sa tante, se fit sans difficulté renvoyer du lycée, s'essaya sans conviction à faire l'aide-jardinier, s'engagea dans les paras pour échapper à la prison après avoir été surpris au volant d'une voiture volée, intégra le 101e régiment aéroporté à Fort Campbell dans le Kentucky, se déclara fier de servir sous la bannière étoilée, demanda à son père de lui faire parvenir sa guitare, dormit avec elle sous l'œil goguenard des camarades de chambrée, s'enchanta d'entendre jouer le blues dont cet État du Sud portait la tradition, rencontra Billy Cox, créa avec celui-ci et le renfort d'Alphonso Young le groupe des King Kasuals, et se produisit quelquefois dans un club de Clarksville, pas très loin de sa base.

Sous le prétexte d'un accident de parachute, il quitta l'armée, partit pour New York en 1964 après un détour par Nashville où il accompagna des groupes de seconde zone, s'éprit de la ville verticale qu'il trouva à sa mesure, habita dans Harlem un de ces immeubles en briques brunes comme on les voit au cinéma, fit le tour de tous les clubs pour y trouver des partenaires de musique, puis, je résume, décida d'aller du côté blanc, du côté de Greenwich Village où tout prétendument se passait, s'enthousiasma pour Dylan qui avait une voix aussi laide que la sienne, découvrit le new jazz avec John Coltrane et Ornette Coleman, reçut de Carol Shiroky, que son nom soit béni, la Fender Stratocaster de ses rêves, et se mit à nouveau à traîner dans les clubs.

Arrivé à Greenwich Village, Hendrix, en dépit des refus qu'il essuyait sans cesse et du scepticisme des producteurs à son endroit, Hendrix persévéra dans sa passion et continua, sans faillir et avec un acharnement calme, à travailler son jeu, tout en cherchant ici et là quelques engagements pour vivre.

Mais parce qu'il n'y avait aucune commune mesure entre lui et les musiciens avec lesquels, de temps en temps, il se produisait, parce qu'il jouait trois milliards de fois mieux qu'eux, parce que son vibrato ne ressemblait à aucun autre, parce qu'il suffisait qu'il fît sonner trois accords de guitare pour qu'aussitôt ses partenaires, verts de jalousie, soient confrontés à leurs limites, il resta longtemps relégué à l'arrière des scènes, laissé dans l'ombre, inscrit tout en bas des affiches, ou servant occasionnellement de vulgaire faire-valoir.

Parfois, des groupes l'engageaient pour quelques concerts ou pour une saison, des groupes importants comme celui de Little Richard qu'il avait rencontré à Seattle, ou d'autres moins connus. Mais très vite, les leaders de ces groupes s'offusquaient d'un talent qui leur portait ombrage et constituait pour eux, allez savoir pourquoi, une injure personnelle.

Ils le viraient.

Même chose de la part des producteurs de disques.

Ceux-ci, qui en leur qualité de producteurs de disques ne se prenaient pas pour de petites crottes, le considéraient avec défiance et faisaient la fine bouche. Chatouilleux sur leur goût, comme le sont souvent les médiocres, ils regardaient de haut cet hurluberlu électrique sans parvenir, sacré nom d'un chien, à le fourrer dans une case.

Hendrix se souviendrait toute sa vie que, lors d'une audition devant les responsables d'un studio Stax, ceux-ci, au bout de vingt secondes, explosèrent de rire et le plantèrent là, au beau milieu de son improvisation. Cet incident incarna à ses yeux, mieux que tout autre, la lâcheté qui sévissait alors chez les décideurs, une lâcheté à son pire degré puisque, non contente de s'exprimer, elle se réjouissait d'elle-même, obéissant ainsi, il n'est pas inutile de le relever, aux mêmes règles que la bêtise. Hendrix fut profondément blessé par cette lâcheté qui n'était pas de nature différente, au fond, se disait-il, de la lâcheté des badauds qui assistaient aux meurtres des nègres comme on assiste à un spectacle, laissant des fanatiques lyncher des Noirs ou les pendre à des poteaux télégraphiques, ainsi qu'il arrivait encore en 1969 dans le pays de la liberté.

Les producteurs du studio éclatèrent de rire, fort réjouis de ne pas s'être laissé berner par un Noir accoutré comme une fille, équipé d'une Stratocaster montée à gauche, et l'air complètement azimuté. Je suppose qu'une fois sortis du studio, ces lâches continuèrent de rire et se trouvèrent fort malins d'avoir reçu cet hurluberlu comme il le méritait, c'est pas à eux qu'on la ferait ! (attitude qui me rappelle irrépressiblement celle de ces faux lettrés qui, incapables de saisir la beauté ou la complexité d'une œuvre, claironnent à la cantonade la détestation qu'elle leur inspire et, sottement, s'en enorgueillissent, ce qui passe parfois, à Paris, pour téméraire : J'ose l'avouer, je ne comprends rien à Joyce ! ou Je n'ai pas honte de le dire, Faulkner pour moi c'est imbitable ! ou Proust c'est totalement illisible ! Pauvres cons !).

Le souvenir de cette humiliation et de toutes celles qu'il essuya, à New York et ailleurs, resta gravé en lui jusqu'à sa mort, et transparut quelquefois dans les paroles de ses chansons.

Si je reste trop longtemps dans une ville, les gens essaient de me rabaisser. Ils parlent de moi comme d'un chien. Ils parlent des habits que je porte.

Ces blessures, toutefois, n'appelèrent jamais chez lui l'amertume ou le ressentiment, formes putrides de la colère,

ni la folie, car les affronts, j'en suis persuadée, peuvent nous rendre fous,
mais un désespoir patient qu'il maquilla, le plus souvent, d'humour.

De leur côté, les puristes du blues le battaient froid. Et la Légende, qui se plaît à voir son héros confronté à d'incessantes vicissitudes avant qu'il n'atteigne à la gloire, la Légende raconte que, lorsqu'il alla faire, dans un des studios Chess de Chicago, une petite démonstration de blues, revisité à sa façon, devant Muddy Waters, le plus grand bluesman de la terre qui avait commencé sa vie en cueillant du coton dans un temps où les Blancs échangeaient leur nègre contre un cheval ou une vache, la Légende raconte que celui-ci le considéra d'un œil soupçonneux, l'écouta d'une oreille encore plus soupçonneuse et, agacé par tant d'entorses aux principaux modes du blues, le chapitra. Ce qu'il aurait accepté d'un musicien blanc, il ne le put pardonner à un Noir comme lui.

Quant aux adeptes de la soul, ils lui trouvaient les allures d'un clodo allumé dont la seule dégaine (ne parlons pas de sa musique!) offensait violemment le sérieux pentecôtiste propre au genre.
Il faut préciser que les chanteurs de soul, à cette époque, chantaient les élans célestes de l'âme tirés à quatre

épingles, cravate impec, chaussures en croco et costume trois pièces, tenue qu'ils arboraient comme le signe d'une honorabilité péniblement conquise, et qui raidissait, semble-t-il, leur silhouette, autant que leur sens musical.

Pas d'excentricités vestimentaires, pas de guitare mordue et autres énervements sexuels chez les chanteurs de soul. Ce n'était pas, Seigneur Jésus, le look de la maison.

De la pureté, doux Seigneur! de la dignité, de l'amour, de l'âme, de l'âme, de l'âme, et de toutes ces choses admirables qui vous agitent le derrière!

On comprend aisément que la vision d'un jeune homme affublé d'une chemise à jabot violette et d'un pantalon cerise des plus moulants, le front ceint d'un bandeau rose vif, la tignasse hérissée et, pour tout dire, volcanique (à l'instar de sa musique), les ait, quelque peu, épouvantés.

Relisant ce qui précède, je me surprends à être injuste envers la soul, influencée sans doute par Hendrix qui ne put s'empêcher d'ironiser sur ces chanteurs en tenue de pingouin, ce sont ses propres mots. Mais bien qu'il s'en moquât (affectueusement), Hendrix savait mieux que quiconque ce qu'il devait à cette musique que Dieu inspirait aux Noirs dans leur calvaire, en attendant que, derniers parmi les derniers, ils devinssent les premiers, tu parles.

Les producteurs de rock'n'roll ne se montrèrent pas, à cette époque, moins conformistes que les producteurs de soul.

Ce rock avec lequel Hendrix, broyant de sa main gauche d'horribles goudrons noirs, salissait les couleurs à la mode, ce rock les inquiétait.

Ils lui préféraient les fadaises faciles des Beatles (je sens qu'un coup de bâton me guette), l'agitation psycho-motrice des Rolling Stones (ou carrément une baston-nade) et les nigauderies de Peter Gabriel, toutes censées réjouir infiniment les cœurs juvéniles qui sont, comme on le sait, très imbéciles.

Il faut dire que le monde du rock, depuis qu'Elvis Presley s'était acclimaté aux impératifs du commerce, ne faisait plus peur à personne, hormis au président Nixon et à son affreux comparse John Edgar Hoover, directeur du Bureau of Investigation.

Pire, le rock était devenu cette chose hygiénique maudite par Zappa, vouée, disait ce dernier, à mimer la contes-tation sans jamais altérer les structures sociales, à la dif-férence du jazz, un porno de la rébellion en somme, un porno pour ados en crise pubertaire, un baume anes-thésiant au service du fric et peut-être, peut-être, le plus crétinisant de tous et le plus putassier, je cite.

En résumé, aucun producteur, qu'il fût blanc, qu'il fût noir, qu'il fît son commerce du blues, de la soul, du rhythm'n'blues ou du rock'n'roll, ne daigna s'intéresser à sa musique qui était comme un grand vent qui foutait tout par terre, avant de reconfigurer de nouveaux paysages, pour les mieux reverdir.

Après tant d'autres dans l'Histoire, Hendrix *fit en ce bas monde le rude apprentissage du génie chez les âmes inférieures.*

Trop pittoresque, reprochaient les uns.

Trop osé, s'indignaient les autres.

Trop violent, se récriaient-ils en chœur, car déjà, à cette époque, Hendrix amplifiait les sons jusqu'à les rendre aussi déments que ceux lancés par les Sept Anges sonnant des Sept Trompettes pour annoncer l'Apocalypse. Car c'est l'Apocalypse que Hendrix tentait de mettre en musique, l'Apocalypse d'un présent ravagé par la guerre, et l'Apocalypse redoutée des jours futurs. On s'en avisa à Woodstock, le 18 août 1969, lorsqu'il joua, à 9 heures du matin, *The Star Spangled Banner.*

Trop abondant! Trop profus! Trop nombreux! s'écriaient-ils puisque Hendrix composait à lui seul un orchestre, que dis-je? une tempête, que dis-je? le Déluge.

Trop outré! s'exclamaient ces misérables qui prenaient sans vergogne le contre-pied de Baudelaire, lequel avait écrit que l'outrance était la marque indéniable d'une grande puissance artistique, ce à quoi je souscris de toute ma vigueur.

Trop inconvenant! Ces mouvements obscènes du bassin! Et cette langue qui frétille comme celle des putes! Et cette guitare branlée comme une queue! Et ce corps trop cru, trop voyant, trop lubrique!

Hendrix était décidément trop insolite! trop excessif! trop excentrique! trop véhément! trop fulminant! trop tonitruant! trop nègre! trop indien! trop tout!

Irrecevable.

Et rejeté en conséquence par la police musicale de l'époque (puisqu'il y avait une police musicale comme il y avait une police littéraire ou une police esthétique), par la police musicale qui montait la garde à l'affût des déviations.

Or les déviations, chez Hendrix, il n'y avait que ça.

Hendrix, à New York, fut donc totalement incompris, parce que sauvagement inclassable,

sans label,

parce que radicalement marginal dans l'establishment musical,

parce que trois fois transfuge, trois fois parjure, et trois fois traître, c'est-à-dire trois fois fidèle au métis qu'il était, ce qui déconcertait les producteurs qui détestent être déconcertés,

parce que opposant sa singularité absolue à la force indéboulonnable des classements, consensus et autres habitudes,

parce que pas assez familial, pas assez homogène, pas assez pingre, pas assez pur, pas assez propre,

parce que prenant à rebrousse-poil, dans une insubordination dont il n'avait pas, je crois, conscience, prenant à rebrousse-poil toutes leurs conventions et tous les genres musicaux, parce que les piétinant, parce que les enjambant, parce que les culbutant, parce que les violant, parce que d'amour les étreignant,

parce que ignorant d'une ignorance d'innocent les douanes et les frontières,

parce que amoureusement porté vers les musiques traversières,

parce que, n'ayant jamais eu véritablement ni maison ni famille, il avait fait de cet abandon subi l'abandon assumé de tout ce qui codifie, catégorise et fixe.

Hendrix était out. (D'ailleurs il se plut souvent à jouer sur ce mode, qui chez les jazzmen signifie hors du rythme.)
Out. Dehors. Hors catégorie. Hors norme.

Hendrix était une erreur.
Le génie est toujours une erreur, c'est d'ailleurs à cela qu'on le reconnaît, disait, je crois, Paul Klee.
(On raconte que lors de la première exécution de l'*Apollon Musagète*, de Stravinsky, le chef d'orchestre crut que les dissonances de l'œuvre étaient des erreurs de copiste, et qu'il les corrigea par d'anodines harmonies.)

Hendrix fut donc rangé, par commodité, au rayon des curiosités exotiques, oublié (je devrais dire censuré) des radios, qui révélaient ainsi leur surdité à l'égard des musiques en non-conformité avec les canons du moment, caviardé notamment par la radio des Forces armées au Vietnam, bien qu'il fût vénéré de la plupart des soldats noirs, et accueilli avec la même curiosité condescendante que celle qui accueillit John Coltrane à ses débuts : des applaudissements contrits et le dédain embarrassé des autres musiciens qui trouvaient que ses compositions, décidément, n'étaient pas de la musique.

Personne, donc, pendant ces années new-yorkaises, ne misa sur lui. Personne ne fut convaincu de son potentiel commercial, c'est ainsi qu'on commençait à s'exprimer à l'époque et qu'on s'exprime aujourd'hui sans le moindre embarras.
Il fut laissé dans un isolement qui aurait pu devenir scandaleusement définitif si Hendrix n'avait, un jour, quitté l'Amérique.

Hendrix, jusqu'à vingt-quatre ans, vécut donc dans la mouise, partageant des garnis avec d'autres paumés, allant d'hôtel crasseux en hôtel crasseux, fuyant les tauliers au moment de la note, dormant sur des lits de fortune, réveillé par le froid en dépit de la guitare posée sur sa poitrine, engueulé par les voisins qui cognaient sur la cloison, moins fort! moins fort! mangeant n'importe quoi et surtout des sardines, fumant du shit pour se distraire de la faim, mettant sa guitare au clou les jours d'infortune (c'était comme y mettre son cœur!), écumant soir après soir les clubs de seconde zone et décrochant tout juste quelques engagements et quelques cachets médiocres afin de subsister.

Mais tant de mécomptes, tant de rebuffades et tant de blessures d'amour-propre ne le firent pas amer, c'est ce qui me surprend et qu'infiniment j'admire.
Comme tous ceux qu'attache une idée fixe, passion

fixe serait plus exact, tous ces empêchements ne parvinrent à le vaincre. J'ai tout à coup l'impression de parler d'Achille, d'Agamemnon ou de je ne sais quel Héros de la mythologie grecque.

Hendrix alla son chemin et garda le calme de ces insensés dont rien, sinon la mort, ne menace la passion. Cela pourra paraître grandiloquent à ceux qui ne sauront jamais (non-savoir auquel nous compatissons vivement), qui ne sauront jamais ce qu'est ce feu qui vous saisit de part en part et vous rend insensible aux ordinaires turpitudes, que ce feu ait pour nom musique ou poésie ou science ou je ne sais quoi d'impossible.

Hendrix s'accommoda d'être pauvre.

Les privations, la précarité, l'insuccès auxquels il était en butte lui étaient, au fond, peu de chose,

puisqu'il était libre,

puisqu'il avait des rêves que nul ne pouvait lui ôter,

puisque sa guitare électrique était sa femme et sa maison et sa patrie,

puisque sa passion était trop vaste pour qu'il la compromît dans de petites choses,

puisqu'il était doté par surcroît de cette élégance naturelle que tous lui enviaient, l'élégance d'un dandy black qui associait à la fameuse nonchalance des nègres l'extrême courtoisie des manières, l'incomparable finesse des mains, la recherche sophistiquée des toilettes, et un je-ne-sais-quoi qui s'appelle le charme.

Hendrix fut pauvre mais d'une pauvreté qui l'affecta peu (il manifesta plus tard la même aristocratique indifférence vis-à-vis de sa richesse) et qui jamais ne l'amena à abdiquer.

Donc pas pauvre.

C'est l'un des caractères remarquables, me semble-t-il, de cette histoire.

Dans des conditions d'existence qui en eussent découragé plus d'un, Hendrix continua de jouer, ici ou là, seul ou avec d'autres, animé de la même inexorable résolution. Et jamais il ne chercha hors de lui des excuses pour justifier ses échecs et ses trébuchements.

Que sa vie matérielle fût rude, que les refus s'ajoutassent aux refus et les défaites aux défaites, il continua de travailler son jeu avec une inébranlable, une invincible, une sauvage volonté. Et la Légende dit qu'il alla jusqu'à suivre Buddy Guy à la trace, d'un club à l'autre de New York, afin de l'enregistrer sur un magnétophone portatif et de pouvoir, tout à son aise, l'étudier dans sa chambre.

Le 15 octobre 1965, Hendrix signa, pour un dollar, un contrat avec la société de production d'Ed Chalpin. L'une des sept clauses du contrat l'obligeait à jouer et chanter exclusivement au profit de cette société pour une durée de trois ans. Mais Hendrix ne lut pas le contrat, et l'oublia.

Il ne tarderait pas à mesurer les conséquences désastreuses de cette négligence.

Quelques mois après, il créa son propre groupe Jimmy James & the Blue Flames avec lequel il se produisit au Cafe Wha?, et parallèlement accompagna John Hammond Jr au Cafe Au Go Go.

Le groupe The Blue Flames finit par attirer l'attention d'un musicien, puis de deux, puis de trois. Puis tous se passèrent le mot.

On n'avait jamais entendu ça! Un phénomène! Un dingue! Un extraterrestre! Un pur génie de la guitare! Un nègre qui envoyait du lourd! Un putain de rocker qui cassait la baraque!

Et tous accoururent, les uns après les autres, Bob Dylan, Miles Davis, les Rolling Stones… On dit même que Mike Bloomfield, le brillant guitariste de blues électrique, fut si bouleversé en l'écoutant jouer qu'il ne toucha pas sa guitare durant un mois entier.

La rumeur fit sa besogne.

Et ceux qui n'avaient pas les oreilles bouchées par la lâcheté la prudence et la jalousie coalisées, idéales boules Quies, finirent par l'entendre.

Le moment approchait où le destin de Hendrix allait, boum, basculer.

Voici comment :

Linda Keith, l'amie de Keith Richards, fut éblouie en écoutant Hendrix et essaya de lui obtenir un contrat avec Andrew Oldham, le manager des Stones. Sans résultat.

Puis elle parla de lui à Chas Chandler en termes si exaltés que celui-ci eut le désir de le connaître.

Chas Chandler alla l'écouter au Cafe Wha ?, et en eut le souffle coupé.

Chas Chandler était le bassiste des Animals qui venaient de terminer leur tournée d'adieu, et il songeait depuis quelque temps à se reconvertir dans la production de musique.

Il pressentit chez ce rocker noir qui effarait les producteurs de musique noire autant que ceux de musique blanche, il pressentit en lui tant de possibles que l'idée lui vint aussitôt de l'amener à Londres, où la surdité musicale lui paraissait moins péremptoire, moins organisée et beaucoup moins systématique.

Il revint donc l'entendre au Cafe Wha?, accompagné cette fois de Mike Jeffery, l'ancien manager des Animals, et les deux Anglais proposèrent à Hendrix de lancer sa carrière en Angleterre.

Hendrix, d'instinct, accepta.

Sur-le-champ, il accepta.

Il avait vingt-trois ans.

Quand d'autres auraient hésité, tergiversé, pesé le pour et le contre, Hendrix sut immédiatement et sans réfléchir qu'il fallait dire oui. Et il envoya valser tout ce qui, à New York, le retenait, c'est-à-dire presque rien et presque personne.

Son destin se joua à cet instant.

La chance inespérée qui s'offrait à lui sous les auspices de Chandler, lequel avait l'oreille aussi ouverte que l'esprit, il la saisit sans un vacillement.

Et lui qui ne s'était jamais dépensé en manigances (horreur horreur de ceux qui croient que tout succès est le résultat de préméditations et de combines), lui qui n'avait jamais guetté l'arrivée improbable d'une baronne de Koenigswarter ou d'un miraculeux mécène, lui qui n'avait jamais tourné un compliment à l'égard des puissants, ni fait de froids calculs à l'affût du succès, ni précipité ses chances, ni plié le genou devant des producteurs dont la poltronnerie l'écœurait, ni flatté, ni léché, ni intrigué pour parvenir, comme cela se pratique depuis que le monde est monde, il attrapa sa chance au vol dès qu'elle se présenta.

Il eut le sens du moment (ce dont nombre d'artistes sont dépourvus qui laissent échapper, par insouciance ou par orgueil, les rares circonstances qui pourraient les amener à être reconnus).

Il sut dire oui à Chas Chandler, lequel, discernant les immenses capacités de son talent, fut en quelque sorte l'instrument heureux de son destin, comme on l'écrit dans les livres.

Il sut dire oui à Chas Chandler avec le même à-propos, la même promptitude et le même sens de l'improvisation qui lui faisaient interrompre, dans un morceau, tel mouvement, commencer tel autre, ou introduire telle distorsion à l'instant absolument juste.

Il y était prêt.

Passionnément prêt.

Il arriva à Londres en inconnu le 24 septembre 1966.

Un mois après, il était une star.

Car à peine arrivé à Londres, Chas Chandler l'amena à un concert d'Eric Clapton, au Central London Polytechnic.

Clapton invita Hendrix à le rejoindre sur scène. Et Hendrix le timide, Hendrix le mal assuré, Hendrix le Noir qui se disait laid, Hendrix le chanteur qui trouvait sa voix médiocre fit une démonstration d'une telle virtuosité qu'Eric Clapton en fut complètement bluffé.

(Ce n'est qu'après sa prestation et l'ovation qui s'ensuivit que Hendrix ressentit l'inquiétude qu'il aurait dû logiquement éprouver au début, l'inquiétude juvénile de se mesurer à Clapton qu'il considérait comme le plus grand guitariste vivant. Il arrive ainsi que nos sentiments, quelquefois, se décalent et agissent de façon retardée, nous laissant tout désaccordé devant telle situation et animé de gestes qui semblent inappropriés.)

Les jours suivants, Hendrix se produisit dans quelques clubs branchés. Et la rumeur s'enflamma.

Ce ne furent bientôt qu'éloges et dithyrambes.

Tous en convinrent, Hendrix avait incontestablement du génie, si les caractères du génie, tel que l'a défini Baudelaire, sont la volonté, le désir, la concentration, l'intensité nerveuse et l'explosion.

Hendrix avait du génie. Mick Jagger en convint, Paul McCartney en convint, Pete Townshend en convint, Robert Wyatt en convint, John Lennon en convint, tous en convinrent, et surtout le très talentueux Brian Jones qui avait déjà commencé à sombrer et pour lequel Hendrix se prit d'une amitié soudaine, devinant chez lui un savoir sur le blues que seuls possédaient les nègres ayant eu une existence de nègres, les nègres ayant vécu en leur âme et leur chair la damnation des nègres, ou qui en avaient fatalement hérité.

Chas Chandler, secondé de Jeffery, décida d'accélérer les choses.

Sans plus tarder, il engagea, après quelques auditions, Noel Redding à la basse et Mitch Mitchell à la batterie. Et tout s'enchaîna très vite.

Après quelques répétitions, le groupe The Jimi Hendrix Experience naquit. Et Hendrix avec. Qui se rebaptisa Jimi avec un seul m et un i (changer, même petitement, son prénom fut pour lui une façon d'inaugurer sa nouvelle vie anglaise et marquer sa rupture avec les années sombres).

Hendrix se produisit au Blaise's et Johnny Hallyday, venu l'applaudir, l'engagea sur-le-champ pour assurer la première partie de sa tournée d'octobre en France.

En novembre, le groupe fit la première partie des New Animals dans un club de Croydon.

Et ce fut le délire.

Après le temps des errances, après les dédains, après l'incompréhension, après les rejets, les affronts et les rabaissements, vint pour Hendrix la saison des triomphes.

Le magazine anglais de référence *Melody Maker* le consacra meilleur musicien pop du monde.

Et les engagements se multiplièrent.

Hendrix devint ainsi, en quelques semaines, objet de dévotion.

Ce n'était que justice.

Car il était au faîte de son art, dans sa fleur, comme disent les poètes, et incarnait aux yeux des Anglais une façon tout autre d'être-à-la-musique.

Ce Noir, qui avait le cœur déchiqueté, leur apporta une musique d'une violence et d'une douceur incomparables, une musique plus farouche et plus douloureuse que toutes celles qu'ils avaient entendues jusqu'ici, une musique bien plus sophistiquée, plus retorse, plus indolente, et en même temps plus sauvage.

Une musique qui donna soudain réalité au fantasme tenace que nourrissaient les Blancs d'Europe à propos des Noirs, à savoir qu'ils étaient des êtres au corps insoumis, animés de pulsions sexuelles que n'avaient pas contraintes les lois sociales, soustraits de la sorte aux freins de la morale, doués d'un génie rythmique exceptionnel, vous leur mettiez un tambourin entre les mains et hop c'était la rumba! en un mot des primitifs pourvus d'un membre d'âne et d'une bouche assortie. Et cette primitivité supposée du nègre Hendrix, scandaleusement simplificatrice et grosse de dérives, séduisit infiniment les rockers anglais de l'époque, soucieux de se défaire de leur légendaire réserve british un-balai-dans-le-cul, et louchant du côté nègre afin de se salir un peu, de s'ensauvager un peu, de se noircir l'âme à défaut d'autre chose, et d'apparaître aux foules comme de très très très dangerous individus!

L'Angleterre attendait son sauvage.

Hendrix vint l'incarner.

Hendrix qui apportait une façon tout autre d'être-à-la-musique, une façon plus féroce et charnelle (j'aurais dit plus viscérale si ce mot ne sentait pas les tripes), Hendrix donna vie comme aucun autre au corps contrôlé, au corps contrit, châtré, mutique des musiciens d'Europe, et fit exister comme aucun autre un corps sensuel, dépensier, exubérant, un corps enfin délivré de la tartufferie puritaine et qui s'abandonnait outrageusement à la volupté,

un corps dont la musique était le foutre et l'arbre nerveux, autrement dit l'âme,

un corps que la musique parcourait de part en part tel un sang vif et palpitant, ça se voyait,

un corps que la guitare faisait littéralement bander,
un corps qui bandait à la barbe d'une vieille société toute corsetée et rongée de frustrations,
un corps qui jouissait, ce fut là, sans aucun doute, le choc,
un corps qui jouissait, qui prenait le droit exorbitant de jouir, et laissait surgir hors des entraves un mouvement sauvage d'exultation comme on ne le pensait pas concevable.

Et non seulement Jimi offrit aux Londoniens stupéfaits le corps jouissant et exotique qu'ils attendaient d'un bon sauvage, mais, aux fins de déconcerter en quelque sorte cette attente, il outra les signes de sa jouissance.
Une vérité gagne parfois à prendre pour s'exprimer un tour outrageant.
Hendrix exagéra outrageusement les signes de sa jouissance.
Il n'était pas du tout atteint par le vice français de la parcimonie qu'on appelle, dans nos écoles, le classicisme.
Il fut excessif comme jamais, baroque comme jamais, et aussi peu sentimental que possible.
Il fut plus fauve, plus griffu, plus exubérant, plus fulminant, plus flamboyant encore qu'à NY, d'autant plus flamboyant peut-être qu'il avait été longtemps, là-bas, nié.
Plus solaire.
Plus animal.
Il joua une musique qui associait à une grande sophisti-

cation et des raffinements subtils une puissance animale que nul musicien, jusque-là, n'avait manifestée à ce degré.

Il fit entendre, à la manière de ses ancêtres indiens, les hennissements des mustangs lancés au galop, les mugissements des taureaux saisis de désespoir, le hurlement des loups qui appelaient la lune, et le léger le doux pépiement des oiseaux. Il fit aboyer tous les chiens de l'enfer, il brama, il beugla, il hulula, il gronda, il grogna, il rugit, mais avec des paroles humaines, ce que les hommes avaient, depuis longtemps, désappris de faire.

Il fit entendre aussi le souffle du vent dans les arbres, qu'il modulait avec sa bouche, le hurlement des sirènes dans les rues effarouchées de New York, et le bruit des Boeing qui décollent.

Il fit entendre la rumeur aimée de l'océan et son grondement sourd sous la gifle du vent.

Il fit entendre la sombre lamentation des hommes.

Et les cris des morts qui gisent sous la terre.

Et comme quelques critiques, à l'âme fort sensible, avaient déploré, lèvres pincées, ce qu'ils appelaient son indécence, Hendrix en rajouta une couche du côté mauvais goût, il en fit des tonnes et des tonnes, oui je baise avec ma guitare, oui je joue comme on tringle, préparez vos missels et vos signes de croix, oui je hais votre érotisme gentillet qui n'est dans le fond qu'une pudibonderie déguisée, oui j'aime le porno, le porno propre à la culture populaire, le porno propre à ma culture, oui j'encule le chic, j'ai bien dit j'encule le chic, en voulez-vous mesdemoiselles et messieurs une petite démonstration ?

Et il se livra, dans ses concerts, à l'adresse de ces peine-à-jouir, à un feu d'artifice d'allusions ouvertement lubriques, de murmures lascifs, de poses obscènes, de coïts impudiques, de gémissements orgasmiques, de mouvements de langue mimant un cunnilingus, tout le grand jeu bestial qu'on attendait d'un nègre et à côté duquel le pauvre John Lennon faisait véritablement figure de nigaud.

Puis-je avancer ici que la vigueur sexuelle qu'il exprima à Londres de si outrageuse manière fut, je crois, chez lui, l'une des formes que prit sa puissance de création. Les plus sensibles le comprirent.

Londres le trouva beau.

Ou plutôt sa beauté, à Londres, apparut.

Sa beauté, à Londres, apparut, puisqu'il faut quelquefois certaines circonstances, certaines humeurs ambiantes, certains climats propices, pour que la beauté, soudain, nous apparaisse.

Sa beauté apparut au moment où, en Europe, de nombreux écrivains et artistes faisaient bien davantage que réhabiliter le peuple noir, ils le promouvaient avec enthousiasme, Michel Leiris en tête, lequel était allé jusqu'à déclarer que, comparés aux Noirs, tous les Blancs lui paraissaient physiquement ratés, précédé d'Artaud qui avait écrit : Si nous pensons que les nègres sentent mauvais, nous ignorons que pour tout ce qui n'est pas l'Europe, c'est nous, Blancs, qui sentons mauvais.

Londres le trouva beau.

Il n'en revenait pas.

Long corps félin, coiffure afro, élégance lascive, allures d'Apollon noir, déhanchements torrides.

De surcroît une peau qui n'était pas couleur de suie, mais d'un joli marron, d'un marron tout à fait présentable.

Des yeux grands.

Le nez nègre.

Le cul idem (une merveille).

Hendrix dégageait.

Il était rock.

Il était sexe.

Et le sexe était à la mode.

Le philosophe Marcuse avait mis le sexe à la mode et fait de l'acte sexuel un acte politique.

Hendrix était sexe. Du reste on le vendit comme tel.

Ce fut son marketing. Qui finit par lui coller à la peau.

Et dont il ne sut, plus tard, comment se défaire.

Car il fut longtemps captif de cette image que ses managers lui avaient collée : celle du sauvage sexuel, du sauvage de la pop comme titrèrent les journaux anglais, lui qui travaillait comme aucun autre la matière brute des sons pour la mieux transmuer et faire advenir la musique.

L'Amérique avait injustement, scandaleusement, ignoré Hendrix. L'Europe, en quelques semaines, le consacra. Comment comprendre cette ignorance américaine dont Edgar Allan Poe, un siècle avant, eut à souffrir au point de se tuer d'alcool ?

Écoutons, à son sujet, Baudelaire (encore, encore).

L'Amérique, écrivit-il, ce pays où l'idée d'utilité, la plus hostile au monde à l'idée de beauté, primait et dominait toutes choses, l'Amérique ne fut pour Poe rien d'autre qu'une cage. Car dans cette société goulue, brutale et affamée de matérialité (ce furent les mots de Baudelaire), il y avait quelque chose de pourri : il y avait cette sacro-sainte et despotique opinion publique, c'est-à-dire l'opinion de l'Homme Moyen, c'est-à-dire l'opinion de la Majorité Morale, c'est-à-dire l'opinion du public moutonnier, laquelle (opinion) favorisait un extraordinaire bouillonnement de médiocrités, ne laissant nulle place à la singularité du génie.

Cette analyse de Baudelaire sur le rôle désastreux de l'opinion publique, qui sera plus tard reprise par Karl Kraus, puis par Walter Benjamin, cette analyse à laquelle manque, et pour cause, la prise en compte de l'unification de l'opinion par le Grand Marché Culturel et de la Médiocrité Mondialisée qui lui est conséquente, cette analyse est-elle encore pertinente pour expliquer l'incompréhension américaine dont Hendrix eut à pâtir dans les années 60 ?

Ce qui est certain, c'est que Hendrix, en Angleterre, entra dans un autre air, un autre temps, une autre humeur, dans une respiration plus fiévreuse, plus rapide, plus rock.

Il découvrit la nuit londonienne, ses night-clubs, ses soirées huppées, ses petits vertiges, ses commérages, ses bruits de volière et ses conversations hautement artistiques sur les dernières productions d'Andy Warhol, tellement tellement top.

Il y croisa des femmes du monde, des bourgeoises dévergondées, des fils à papa jouant les prolétaires, des marchands d'art, des mondains professionnels, des cons désœuvrés, des jeunes filles de la haute, des stars de l'underground, des gens d'affaires, des gens de la mode, des voyous médiatiques, des plasticiens, des junkies, des politiciens (une image le montre chatouillant le crâne du libéral Jeremy Thorpe), des universitaires et des excentriques de tout poil.

Il rencontra Marianne Faithfull qu'il courtisa à la barbe de Jagger. Fit la connaissance de Keith Richards qui ne se séparait pas de son flingue. Et traîna dans toutes les boîtes de la capitale en compagnie de Brian Jones en qui il avait deviné une vulnérabilité proche de la sienne qui lui poignait le cœur.

Mais jamais homme ne fut plus, je n'ose dire heureux, *être heureux dans la bouche des valets, c'est somnoler,* jamais homme n'eut un cœur plus enfantin que celui de Hendrix pendant cette saison de sa vie, accueillant son succès avec la même simplicité radieuse que les enfants qui s'amusent du bon tour qu'ils nous jouent.

Les femmes se jetaient à sa tête.

Les musiciens anglais l'admiraient.

Le malheur semblait s'être endormi.

Et le brouillard de Londres mêlé aux nuages noirs lui était comme une caresse.

Il avait découvert avec ravissement les effets de la pédale wah-wah. (Qu'on me pardonne, à cette occasion, de ne pas abuser des termes techniques propres à la musique rock. J'aurais pu en parsemer cet écrit. C'est à dessein que je m'en suis abstenue. D'abord, je l'avoue, par ignorance. Ensuite par souci de ne pas dire Hendrix dans une langue d'initiée, mais dans une langue commune.) Et pour la première fois de sa vie, il avait le sentiment de jouir pleinement du monde et des choses.

C'est ce qu'il écrivit à sa grand-mère Nora sur le dos d'une carte postale qui montrait le palais de Westminster, suivi de : je te serre très fort dans mes bras et te fais trois mille baisers.

En France, la tournée en première partie de Johnny Hallyday fut joyeuse. Hendrix aima tout de Paris et raconta, à son retour, que tous les Parisiens mangeaient de la soupe à l'oignon. Un musicien de Johnny Hallyday lui chanta Ainsi fion fion fion les petites marionnettes, qu'il lui présenta comme étant l'hymne national, et Hendrix, mort de rire, voulut apprendre par cœur le premier couplet.

Revenu à Londres, il enregistra avec son groupe *Hey Joe* qui grimpa bientôt jusqu'à la sixième place des charts, puis *Purple Haze* qui sortit en mars 1967 et atteignit la troisième place.

En mai, ce fut le succès phénoménal de son premier album, *Are You Experienced*, dont le caractère absolument novateur enthousiasma le public autant que la critique, laquelle compara les avancées de sa musique à celles opérées, au même moment, par le free-jazz.

Les concerts se multiplièrent qui le conduisirent à Stockholm, Copenhague, Berlin, et à nouveau Paris où il fut présenté par Drucker à la télévision française.

La rumeur de son succès atteignit bientôt l'Amérique où il retourna quelques mois après, tout habillé de gloire.

Et cette Amérique qui s'était montrée si poltronne et si lâche devant ce rocker noir accoutré comme une fille se fit soudain tout miel.

Pas un de ceux qui lui avaient craché à la gueule quelques années auparavant, pas un de ceux qui l'avaient tenu dans le plus grand dédain, pas un de ceux qui l'avaient reçu avec un scepticisme mêlé de mépris qui n'y alla de son petit éloge. Tous, à son retour aux USA, le trouvèrent géniaaaaal.

D'autres le découvrirent.

Frank Zappa d'admiration fut blousé, d'admiration l'invita à jouer avec lui sur la scène du Garrick, et d'admiration lui offrit une Stratocaster en bois de rose.

Hendrix, par gratitude, chercha une façon de lui dire merci, n'en trouva pas qui lui parût juste, pesta intérieurement contre sa maudite timidité, et finit, confus, par marmonner un incompréhensible remerciement.

Quelque temps après, les deux se retrouvèrent au festival de Miami qui tourna au désastre, les organisateurs se disputant la caisse à coups de pied, à coups de poing et à coups d'insultes. Mais à l'issue du concert, Hendrix et Zappa jouèrent ensemble dans un bonheur total à l'hôtel Castaways, se moquèrent ensemble de la naïveté, pour ne pas dire de la connerie de ces pauvres hippies, et convinrent ensemble que les freaks étaient les seuls vrais contestataires du moment, les freaks : les monstres, comme ils se désignaient eux-mêmes pour renverser l'opprobre dont ils étaient l'objet. Ce fut l'occasion pour Zappa d'acquérir la guitare de Hendrix à demi calcinée qu'il fit restaurer avec le plus grand soin et qu'il garda toute sa vie telle une relique.

Le festival de Monterey, en juin 1967, consacra son triomphe.

Il y fut excessif, théâtral, magnifique.

Car j'ai omis de dire que Hendrix était doué d'un sens très profond du théâtre, et qu'il avait en outre, venu depuis le fond le plus obscur de sa mémoire, le goût de l'incantation à un degré exceptionnel.

Il apparut sur scène vêtu couleur de feu, joua comme jamais, fut excessif comme jamais, alterna les fureurs électriques avec le plus incantatoire et le plus hypnotique des chants, et acheva son concert en fracassant sa guitare à coups violents contre les amplis, avant de s'agenouiller devant elle, de l'arroser de kérosène et d'y mettre le feu.

Pour sauver la musique, Hendrix immola l'instrument adoré.

Le sacrifice eut lieu.

L'acte propitiatoire apaisa les esprits.

Le rituel fut respecté.

La cérémonie parfaite.

Visible et invisible enfin réconciliés.

Parti du pire, disais-je, Hendrix trouva sa voie, royale à n'en pas douter. Et son exemple fortifie en moi le rejet violent que lève tout programme préventif fondé sur le principe abject qu'un enfant parti du pire ne peut, inexorablement, qu'aboutir au pire. (Il faut en ce moment que je me retienne de vous dire où et comment je suis née, car le faire serait malséant.)

Le pire, quelquefois, pousse à trouver un ultime recours avant que n'advienne le désastre.

Et il semble qu'ils sont assez nombreux ceux-là qui ont écrit, peint ou composé, pour s'arracher, dans un dernier sursaut, au naufrage prédit (il faudrait normalement que je nuance mon propos avec des contre-exemples d'artistes nés le cul dans la ouate).

Hendrix, l'enfant qui n'avait aperçu en naissant que des visages renfrognés, l'enfant craintif, l'enfant farouche, l'enfant moqué, le mauvais élève et le mauvais fils, l'enfant métis de nègre et d'Indien, l'enfant dont le destin semblait écrit dans l'encre du malheur, devint, quelques années après, le prodige que l'on sait.

Et si le prodige que l'on sait trouva sa voie, c'est, simplement, qu'il osa être lui.

Lui qui ne s'aimait pas, qui n'était jamais satisfait de lui-même, qui doutait continûment de sa valeur (à l'instar de Giacometti, toujours mécontent de lui, et qui disait toujours en montrant ses sculptures : Ça je vais le foutre en l'air, je vais le foutre en l'air), lui qui demandait toujours si tel vêtement lui seyait, qui demandait toujours si sa musique était bonne, qui se montrait toujours soucieux de ne pas déchoir dans l'estime des musiciens, et semblait véritablement ignorant du caractère génial de sa musique,

il écrivit dans une chanson qu'il ne fallait pas s'ingénier à être autre que soi.

Son impossibilité à s'aimer suscita en lui, paradoxalement, une impulsion à devenir lui-même et plus que lui-même, une volonté à surmonter ses failles et à se surmonter, en affirmant passionnément tout ce qui l'amenait à se déprécier.

Dans une sorte de retournement radical et prenant le contre-pied de sa nature profonde, il assuma et revendiqua tous les traits qui le portaient à ce désamour de lui. Il dit oui à ce qu'il était. Il assentit à son être, voilà qui est mieux dit. Il assentit à n'être bon qu'à jouer. Bon qu'à faire un avec sa guitare.

Trouve-toi d'abord, et ensuite trouve ton talent. Travaille
dur ton esprit et sors-en vivant.

Hendrix fit de toutes ses faiblesses autant de forces conquises.

De sa timidité foncière, il fit jaillir des audaces d'autant plus éclatantes qu'il les avait longtemps tenues bridées en lui.

De la solitude où sa singularité l'enfermait, il fit le lieu où déployer et affermir son talent.

De sa taciturnité légendaire, la condition idéale pour, musicalement, se concentrer et se parfaire.

De son incapacité native à se former au calcul et à la prévoyance, une liberté de surcroît.

De ses années de mouise, une expérience fortifiante où sa passion put s'éprouver, ainsi que sa persévérance.

De sa triple appartenance, de son sang triplement mêlé, la capacité inouïe d'associer et d'embrasser comme personne ces voix qui en lui se mêlaient.

Hendrix osa être lui, et n'abdiqua jamais aucun de ses défauts.

Et puisque être nègre constituait un défaut impardonnable, il en rajouta du côté nègre, il en rajouta du côté nègre-chanteur-de-blues, du côté nègre-sauvage-sexuel, et du côté nègre-coiffure-afro, il en rajouta et en rerajouta, à l'opposé de ce que ferait quelques années plus tard Michael Jackson.

Et puisque être indien constituait un autre défaut tout aussi impardonnable, il en rajouta du côté Indien-veste-à-franges. D'ailleurs, pour le concert dont je vous parle, ce matin du 18 août 1969, à Woodstock, il apparut vêtu d'une veste à franges du plus pur style Peau-Rouge, revanche secrète sur une humiliation d'enfance dont il garda toute sa vie le souvenir et que voici relatée.

Un jour où il s'était pointé à l'école avec la veste à franges que lui avait offerte sa grand-mère Nora, il dut subir les moqueries de ses camarades de classe qui lui demandèrent, en pouffant de rire, si son habit avait été découpé dans un rideau de cuisine.

Il en rajouta du côté Indien, disais-je, du côté du brame indien et de la sourde déploration d'un monde perdu, il hulula comme un guerrier cherokee à l'attaque de voleurs blancs, il murmura les mélopées nocturnes psalmodiées par sa grand-mère, il invoqua les esprits qui hantent notre terre et se livra sur scène à des danses effrénées autour du brasier de sa guitare, sans tomawak.

Hendrix endossa entièrement toute la charge de son legs.

Et tandis qu'une partie des jeunes gens de son époque (je parle surtout des jeunes gens inscrits à l'université et blancs pour la plupart) s'épuisaient, par peur de n'être rien, à mimer des poses de révolte qu'ils renieraient quelques années après quand ils seraient devenus PDG, traders, banquiers ou directeurs d'entreprise,

tandis qu'ils s'entêtaient à devenir ce qu'ils n'étaient nullement,

tandis qu'inaptes à se rejoindre, ballottés d'une toquade l'autre, ils n'arrivaient au bout de rien et se laissaient pousser passivement vers des impasses casanières qu'ils accuseraient, par la suite, de les avoir soumis,

tandis qu'ils dirigeaient leurs pas, velléitaires et indécis, vers un but mal ciblé et sans se donner véritablement les moyens de l'atteindre (car ce qu'on ne veut pas atteindre absolument, on ne l'atteint pas du tout, c'est une règle qui ne souffre pas d'exception),

lui sut absolument ce qu'il voulait.

Il le sut absolument, comme il savait qu'un jour la mort viendrait.

Il le sut absolument et le voulut absolument.

Il voulut absolument être la musique.

Il voulut absolument que la musique en lui soit plénière.

Et le voulant absolument, il l'exauça absolument.

Et ce, bien qu'il n'eût strictement aucune idée sur le chemin à suivre et personne pour lui montrer la voie. Bien qu'il ignorât tout du fonctionnement du music-business et de l'industrie du spectacle qui commençait à prospérer. J'ai mon propre monde à vivre et je ne vais pas vous copier, écrivit-il dans une chanson, invitant socratiquement les autres à faire de même.

Ne pas copier.

Suivre furieusement votre pente vers le haut.

Aller furieusement vers la seule chose qui vous importe, au risque de vous y abîmer.

Car s'il existait un mal sur terre, c'était de se soumettre aux routines en vigueur plutôt que de reconnaître ses inclinations profondes et mener avec elles une expérience qui vous déborde.

Hendrix conforma son faire à son dire, à une époque où les engagements verbaux n'étaient pas forcément suivis d'actes, et où se coiffer comme Dylan suffisait, aux États-Unis comme ailleurs, à se construire une identité. Et il poursuivit sa route sans se plier en aucune manière aux genres musicaux qui, à l'époque, obtenaient du succès, j'y reviendrai.

Tandis, je le répète, que la plupart voulaient très mollement leur vie, très mollement c'est-à-dire pas,

tandis que la plupart justifiaient leur échec par mille empêchements suivis de mille quérulences,

lui persévéra passionnément dans cet effort de devenir lui-même et supérieur à lui.

Mais je parle d'efforts quand il ne faudrait pas.

Car si s'engager petitement exige des efforts,

si s'engager davantage en exige beaucoup moins,

s'engager tout entier n'en exige plus aucun, c'est Bergson qui le dit, et que cent fois j'approuve.

Hendrix s'engagea tout entier dans la musique. Qu'y

avait-il là de méritoire ? Qu'y avait-il là de si louable et qui demandât de la peine puisque jouer pour lui équivalait à vivre ?

Hendrix s'engagea tout entier dans la musique, c'est-à-dire qu'il fit seulement et jusqu'au bout ce pour quoi il se croyait fait,

puisqu'il était la musique en personne,

puisque la musique le créait, en même temps qu'il la créait.

Mais cette ardeur joyeuse qui anima Hendrix dans ses débuts à Londres ne dura qu'une saison.

Car tout alla très vite.

Trop vite.

Les séances photo, les interviews à la chaîne, les conférences de presse, les tournées à un rythme effréné en Angleterre, puis en Europe, puis aux USA, les itinéraires exténuants et qui défiaient toute logique, les femmes qui lui jetaient amoureusement leur petite culotte sur scène, les groupies qui trépignaient d'amour en attendant qu'il les violât (il les appelait malicieusement les *band aids*), la meute des parasites qui l'escortaient en tous endroits, les loges bondées d'admirateurs mondains, les coucheries d'après concert à trois, à quatre, ou plus, et la tristesse qui s'ensuit, les amis d'une nuit qui tenaient pour flatteur de l'avoir approché, les flagorneurs, les importuns, les fans hystériques avec leur cahier d'autographes, la foule des beatniks qui voyaient en lui le modèle parfait du gypsy, les rockers débutants béats d'admiration, tous ceux que Hendrix appelait, avec une ironie lasse, les envahisseurs.

Il commença de trouver pénibles les aléas et servitudes de ce qu'on nommerait plus tard le star-system, et dont Jeffery était en quelque sorte le chef d'orchestre.

Mais qui était ce Jeffery?

Et quel était leur lien?

D'instinct, Hendrix avait ressenti à l'endroit de cet homme une irrépressible défiance.

Hendrix se trompait rarement sur les visages.

Sa réserve et sa timidité l'amenaient à observer les autres avec plus de perspicacité, je crois, que la moyenne des hommes.

Très vite, donc, quelque chose chez Jeffery, derrière sa façade joviale, lui déplut. Et par-dessus tout, sa façon tranquillement abjecte de prophétiser qu'il n'était nul obstacle que son fric ne levât.

Très vite, il eut la secrète intuition que les arrière-pensées de Jeffery à son endroit étaient beaucoup moins généreuses que ses déclarations ne le laissaient entendre.

Très vite, il s'avisa que Jeffery ne s'embarrassait d'aucun scrupule quant aux façons de vendre sa musique et de la faire fructifier.

Dès qu'une question de fric se présentait à lui, Jeffery, émoustillé (il avait l'âme carnassière), frappait le sol de son pied comme pour mieux mobiliser sa ruse, mieux faire ses comptes dans sa tête, et mieux gruger le connard qu'il avait en face.

Car sa conception des affaires reposait tout entière sur la devise Être honnête égale être con, qu'il clamait à raison d'une fois par semaine, en caressant sa grosse gourmette en or avec initiales gravées.

Devant ces manières éminemment modernes, Hendrix ne pouvait s'empêcher d'être réticent, sur la défensive, attitudes très étrangères à sa nature profonde.

Quelque chose en lui, au contact de Jeffery, disait attention.

Quelque chose en lui se rétractait.

Au point que le simple effleurement de la main de Jeffery provoquait en son corps un mouvement de recul intérieur, incoercible.

Au point qu'il ressentait une répugnance presque physique à le voir se vanter de ce que *Hey Joe* était entré dans le Top 50 et que *Are You Experienced* s'était vendu en un an à un million d'exemplaires, tout en laissant entendre que ces succès dépendaient, pour l'essentiel, de lui.

Ce type, décidément, ne lui inspirait nulle confiance.

Il incarnait à ses yeux cette nouvelle engeance d'hommes inflexibles et souvent féroces qui rabrouent les serveuses, qui font souffrir les gens travaillant sous leurs ordres au nom du pragmatisme et de la rationalité réunies, et dont la morale, je schématise, et dont la morale se réduit à un seul credo : faire du blé, et les émotions à une seule peur : en perdre.

Et Hendrix qui disait à la manière simple qui était la sienne, à sa manière entièrement dépourvue de cynisme : c'est l'âme qui importe et non le profit,
lui, le descendant d'une lignée d'Indiens qui invoquaient les esprits de la forêt, adoraient le soleil et la pluie, imploraient le pardon des bêtes avant de les abattre, et habitaient une terre qu'il leur était inconcevable de posséder et encore plus inconcevable de vendre,
lui qui aimait à se décrire comme un enfant vaudou, c'est-à-dire un affamé d'esprit, c'est-à-dire un amant de l'infini, c'est-à-dire un croyant des ressources de l'âme capable de prodiges sans nombre, Job 5,9, capable par exemple de trancher une montagne,
lui qui était profondément persuadé que vivre ne suffisait pas, que vivre sans l'esprit et vivre sans la beauté n'était pas vivre,
lui qui, lorsqu'il jouait de la guitare, entrait dans une sorte d'ivresse mystique qui lui faisait le visage d'un saint,
lui qui composa *Moon, Turn the Tides… gently, gently away* qui est peut-être l'un des voyages musicaux dans les labyrinthes de l'esprit les plus vertigineux et les plus somnambuliques,
il était, devant Jeffery qui pensait et vivait comme un porc, il était devant Jeffery comme on est devant la bêtise,
perplexe et secrètement malheureux,
impuissant,
ironique parfois,

s'appliquant à l'indifférence sans y parvenir toujours, et essayant de se mettre, autant qu'il le pouvait, hors de sa portée.

Quant aux conseils de cet immonde de ne pas jouer avec des nègres et pour des nègres, trop fauchés mon petit (il lui donnait du mon petit) trop fauchés mon petit pour faire de bons clients, mais de se défoncer en revanche pour les mignons petits Blancs, plus friqués, plus nombreux, plus avides de nouveautés, et avec lesquels il y avait (clin d'œil canaille assorti du geste de compter des billets) un max de pognon à se faire, ses bons conseils, disais-je, le dégoûtaient jusqu'à la nausée.

Pour l'instant il se taisait et laissait faire.

Rester cool. C'est ainsi qu'on disait à l'époque.

Rester cool. Pas baba. Mais cool. C'était dans son tempérament.

Ne pas s'appesantir sur ce qui, profondément, l'indifférait.

Il savait du reste que s'il discutait, protestait ou demandait des comptes, il déclencherait chez Jeffery une véritable crise d'apoplexie avec des C'est comme ça que tu me remercies! des Moi qui t'ai fait! des Et dire qu'il y a un an tu n'étais rien! et des Quand je pense au mal que je me donne bordel! le tout avec soupirs, airs mourants et main scandalisée appuyée sur le cœur.

Hendrix, du reste, se foutait que Jeffery, financièrement, l'arnaquât et le tînt pour irresponsable.

Qu'il le plumât comme les Blancs plumaient habituellement les Noirs, cela l'amusait presque. C'était la tradition. Et il ne souhaitait pas s'embarrasser de ce genre de soucis.

Car cette tendance fort répandue chez les humains qui consiste à poursuivre avec acharnement des fins dites utiles, cette tendance lui était totalement étrangère.

Comme lui était étrangère la préoccupation fort commune d'assurer, comme on dit, ses arrières.

Hendrix se glissait dans la richesse comme il l'avait fait dans la pauvreté : avec la désinvolture d'un prince (à peine ai-je écrit ce mot que je me représente le prince Albert de Monaco, si gauche en ses manières, si peu Apache en son corps, et je me déteste de l'avoir écrit). Hendrix était libéral, magnifique, la générosité même. (La Légende, qui comptabilise toute chose dans le moindre détail, n'a pas réussi à calculer le nombre de guitares qu'il offrit, ni les sommes d'argent que tant de fois il prodigua aux uns et aux autres.)

Mais ce sur quoi il lui était si difficile de transiger, ce qui le tourmentait jusqu'à l'obsession, c'était le rythme infernal des tournées imposées par l'immonde Jeffery, qui amputaient ses forces, et son désir et tout son temps. Et qui le détournaient de la seule chose qui, à ses yeux, comptât.

La Légende qui aime que ses héros rencontrent les pires obstacles sur leur chemin de gloire, la Légende raconte que le tourment de Hendrix vira à la rage lorsque Jeffery décida, pour créer, prétendait-il, la surprise, mais en vérité parce qu'il pensait l'opération juteuse, lorsque Jeffery décida donc, contre l'avis de son associé Chas Chandler, que le groupe The Experience ferait l'ouverture de la tournée américaine des Monkees, en juillet 67.

The Monkees était un groupe de musiciens médiocres fabriqué de toutes pièces par la télévision et destiné à des ados complètement étanches à la musique de Hendrix. Car la musique de Hendrix, qui pulvérisait les règles du tchack-boum-boum par une imprévisibilité bouleversante, ne pouvait que déranger ce public juvénile, affligé de stéréotypie mentale comme le sont tous les publics juvéniles (coup de bâton) et qui n'attendait rien d'autre de la musique que le rappel rassurant des habitudes propres à cet âge.

Dès les premières notes, donc, ce public pubertaire, totalement dépaysé, manifesta bruyamment son affolement sexuel par des sifflements hostiles, des tapements de pieds et quelques injures à caractère anal.

Alors Hendrix ne fit ni une ni deux. Il décida d'interrompre la tournée honteuse et proposa, avec l'ironie cinglante dont il faisait preuve parfois pour contrecarrer sa timidité naturelle, d'être remplacé par : Mickey Mouse. Cet incident contribua à refroidir singulièrement ses rapports avec Jeffery, déjà peu affectueux.

Deux ans après, au moment où Hendrix joua *The Star Spangled Banner*, à Woodstock, le 18 août 1969, la situation entre les deux hommes était extrêmement tendue, pour ne pas dire électrique.

Toutefois, malgré leur méfiance réciproque, ils essayèrent encore de temporiser et maintinrent entre eux une sorte d'armistice.

Comme tous les armistices, celui-ci se termina mal.

Bientôt, Hendrix fut las.

En dépit des éloges qui pleuvaient, en dépit du succès de *Hey Joe* aux juke-box (j'éprouve un plaisir inouï à écrire ce mot dont j'avais oublié l'usage), en dépit de la composition d'un deuxième album, *Axis: Bold as Love*, qui serait bientôt suivi d'un troisième, *Electric Ladyland*, enregistré selon son cœur et salué comme un chef-d'œuvre, en dépit des groupies à ses pieds, des Bentley turquoise avec bar, télévision, air climatisé et téléphone, en dépit des palaces où des employés blancs s'empressaient auprès de lui et l'appelaient Monsieur, en dépit d'un luxe qu'il n'aurait jamais imaginé possible un an auparavant, champagne, couverts d'argent, homard à la vanille et déjeuners servis au lit, en dépit d'une fortune dont il s'apercevait avec stupéfaction qu'elle faisait de lui quelqu'un de soudainement respecté, en dépit des pratiques de riches qu'il découvrait en essayant de dissimuler l'ignorance qu'il en avait, et qui consistaient, pour résumer, à se faire servir dans tous les actes de la vie, et même dans celui d'appuyer sur un bouton d'ascenseur, en dépit de ce que les voyages lui apprenaient sur les différences qui séparent les hommes, et pas seulement des différences entre Blancs et Noirs, mais des différences entre Blancs et Blancs, presque aussi violentes, en dépit des hélicoptères privés, des manteaux en fourrure, et du fric à la pelle qu'il claquait sans compter, il fut las.

Las d'être enfermé dans sa propre parodie.
Las de jouer chaque soir les mêmes tubes, et de recommencer les mêmes pitreries qui affriandaient le public (il qualifiait désormais de pitreries ce qu'il avait adoré faire à ses débuts mais qui n'avait servi, au fond, qu'à masquer son talent), ces pitreries auxquelles s'étaient livrés avant lui Charley Patton, Johnny Guitar Watson ou T-Bone Walker avec leur guitare.
Las de voir son talent dilapidé dans des reprises perpétuelles, ses recherches musicales réduites par les media à quelques simagrées, et rejetées souvent par un public incurieux, je n'ose dire crétin, venu pour entendre ce que déjà il connaissait par cœur (car tel est le public, apeuré du nouveau, persévérant dans le même, friand jusqu'au délire des refrains répétés, des ronrons, reprises, rengaines et autres roucoulades rabâchées mille fois), rejetées, disais-je, par un public qui réclamait Encore une fois *Hey Joe*! Encore! Encore! Encore une fois le coup de mordre d'amour la guitare! Encore une fois le

coup de la baiser d'amour ! Encore une fois le coup de s'en faire une bite ! Encore une fois le coup de la branler puis d'y foutre le feu ! Encore ! Encore ! Encore !
Si las de céder à ce que le public attendait de lui que le 4 janvier 1969, c'est-à-dire sept mois avant le festival de Woodstock, lors d'une apparition à la télévision anglaise, il s'interrompit en plein milieu de *Hey Joe* pour déclarer, tout de go, qu'il voulait arrêter de jouer cette merde.

Car Hendrix, l'affamé du ciel, était las de ce public qui l'assignait à une place qui l'enfermait, et dont il ne voulait plus.
Las de faire le clown.
Las de ce cirque de merde.
Dont la merde infiltrait son cerveau.

Las, surtout, d'être enchaîné par des contrats qui le for-çaient à donner des concerts quasiment chaque soir, deux cent cinquante-cinq concerts pour la seule année 1967, c'était monstrueux, lui qui n'avait qu'un rêve : faire ce travail en studio qui était devenu essentiel à sa conception de la musique (comme il était devenu essentiel, au même moment, à cet autre génie musical nommé Glenn Gould) ; explorer toutes les ressources de la technologie qui n'en était encore qu'à ses bal-butiements ; et passer des heures, des jours, des nuits entières derrière la console de mixage aux côtés de son précieux Eddie Kramer qu'il avait connu à Londres et qui l'accompagna jusqu'à la fin de sa vie, Eddie Kramer, le remarquable ingénieur du son qui comprit son projet mieux sans doute que quiconque, grâces ici lui soient rendues.

Et qu'on ne vienne pas les lui briser avec le reste !

Et que Jeffery aille se faire pendre !

Ce qu'il souhaitait, la seule chose au monde qu'il souhaitait, c'était de s'enfermer dans un studio avec Kramer et tous ceux qui voulaient faire de la musique avec lui (et ils étaient nombreux ceux qui voulaient).

Ce désir-là était plus impérieux que le désir de baise, plus impérieux que le désir de dope et plus impérieux que le désir de tout.

Il tenait de la faim.

Et Hendrix souffrait infiniment d'en galvauder la force désœuvrée.

Car j'ai omis de l'indiquer tant cela me semblait évident, Hendrix, dès qu'il le pouvait, n'avait de cesse de travailler et travailler et travailler. Et ses flèches, ses fusées, ses fulgurations, tout ce qui semblait lui venir intempestivement, toutes ces improvisations qui firent son renom étaient précédées d'un extrême, d'un infatigable, d'un interminable exercice.

Perfectionniste jusqu'à l'angoisse, écrivant et réécrivant ses textes avec un entêtement intraitable, n'espérant jamais que la Muse au regard de vache lui soufflât ses partitions, composant et recomposant sa musique jusqu'à l'épuisement, trouvant tout bon, puis tout mauvais, puis tout moyen, content le soir d'une trouvaille puis mécontent le lendemain, essayant fébrilement tel accord pour l'abandonner juste après, puis le reprendre, puis l'abandonner et le reprendre, expérimentant toutes les distorsions, s'accablant de critiques sévères, renouvelant les essais infructueux, désespérant de pouvoir atteindre je ne sais quelle perfection, poursuivant je ne sais quelle musique car cette putain lui échappait à mesure qu'il la traquait, capable en studio de refaire quinze fois une prise, au point de rendre cinglés les techniciens du son qui grillaient d'énervement cigarette sur cigarette, reprenant le jeu de basse de Redding jusqu'à ce que celui-ci jette d'exaspération son instrument à terre, tu me fais chier !, voulant assumer tout ensemble l'écriture, la production, le chant, les parties de guitare et les arrangements, trouvant du plaisir non pas dans l'achèvement satisfait à gros ventre mais dans une recherche inquiète inquiètement recommencée, obsédé par l'idée d'inventer la guitare, de lui donner un son absolument neuf, et d'avancer encore plus avant dans l'inconnu, il aurait pu dire, comme Mozart avant de mourir : L'inconnu me parle.

Las, donc, de ce travail qu'il ne pouvait accomplir, et dont la privation l'obsédait.

Las de ce temps perdu.

Imbécilement perdu.

Las de s'user à ces logiques du show-biz dont au début il se moqua, puis chaque jour de moins en moins, jusqu'à ce qu'elles lui répugnassent tout à fait.

Las de la même merde, SOS same old shit, écrivit-il sur son journal intime.

Je l'imagine allongé sur un lit oriental, les yeux ouverts sur un plafond qu'il ne voit pas, appelant le sommeil, qui se dérobe.

Il se trouve dans le Sud.

La veille, il s'est vu refuser le droit de monter dans un taxi. Il revoit la scène, le chauffeur qui lui hurle à travers la portière Interdit aux macaques! et qui ajoute dans une grimace mauvaise On a ouvert le zoo?

Encore heureux qu'il ne m'ait pas écrasé! a dit Hendrix aux deux musiciens qui l'accompagnaient.

Car Hendrix a de l'humour.

Hendrix a l'humour des timides. Peu de paroles, mais un sens aigu de la dérision.

Dans la même journée, l'un des flics qui assuraient le service d'ordre l'a menacé de son calibre 45 alors qu'il arrivait dans la salle de concerts au bras d'une jeune femme pour y faire ce qu'on appelle, en langage musical, la balance.

Son crime: être un nègre et avoir l'insolence de se montrer en compagnie d'une blonde. Une pute, assurément, puisqu'il n'y a, alors, que les putes pour sucer la bite des nègres. Mais une pute canon, comme le flic ne pourra jamais s'en taper, jamais.

Hendrix regarde le flic avec une sorte d'indifférence lasse qui ne fait qu'augmenter la haine de ce dernier.

Il s'abstient de riposter (lui cracher à la gueule lui ferait pourtant du bien), d'abord parce qu'il déteste les affrontements (tous ses proches le disent : Hendrix est un mec cool), mais surtout parce qu'il est impensable pour un Noir, dans ces années-là, de riposter à un flic d'où qu'il soit, et encore plus impensable de riposter à un flic du Sud, s'il ne veut pas courir le risque d'être lynché séance tenante.

Car les flics du Sud, en 1969, dans le pays de la démocratie et de la case de l'oncle Tom, les flics du Sud haïssent jusqu'au délire les pédés, les hippies, les drogués et par-dessus tout ces violeurs en puissance que sont les négros.

Or Hendrix est un négro, insolent de surcroît, qui joue de surcroît une musique aux déviances infâmes et qui, comme si cela ne suffisait pas, semble de toute évidence défoncé à la marijuana.

Hendrix ne réagit pas et s'applique à poursuivre son chemin d'un pas égal, tandis que la blonde, qui n'en mène pas large, tripote nerveusement son sac à main.

Le flic ressemble à Jack Palance.

Il a l'air très excité.

Il a toujours son pétard à la main.

Et sa main est frémissante.

Tout à coup, il hurle à voix suffisamment forte pour que Hendrix l'entende, il hurle dans son dos Tout ce qu'on leur demande aux négros, c'est de rester entre eux et de pas violer nos femmes (les femmes occupant l'antépénultième degré dans l'idéal chevaleresque d'un flic du Sud, juste en dessous de la Patrie et de Dieu Tout-Puissant).

Et tous les flics acquiescent comme un seul homme, ce qui est la règle dans toute corporation qui se respecte lorsqu'un collègue fait montre d'un aussi indéniable courage.

Hendrix, allongé sur le lit, repense à l'incident.

Il se dit que, lors de son prochain concert, il dédiera aux flics *The Star Spangled Banner*. Ça l'amuse. Pendant un instant, ça l'amuse.

Puis il bute sur un autre souvenir.

Il se revoit, dans un hall d'aéroport, sa main gauche tendue vers Jerry Lee Lewis qu'il admire, et il se souvient, comme si c'était hier, du regard de celui-ci.

Jerry Lee Lewis est membre de l'Église évangéliste et cousin de celui qui deviendra le plus populaire télévangéliste de Louisiane (lequel se fera surprendre avec une pute en 1988 et demandera pardon à Dieu, à la télévision, la voix vibrante et le visage baigné de larmes, devant ses ouailles enthousiasmées).

Mais il est surtout chanteur de rock et de country, et son

jeu de scène impressionne Hendrix qui l'a vu incendier son piano à la fin d'un concert, après en avoir boxé le clavier à coups de poing.

On l'appelle *The Killer*.

Il a fréquenté à quinze ans l'Institut biblique du Sud-Ouest, à Waxahachie, dans le Texas, pour se consacrer à l'étude de la Bible et vivre selon les lois du Seigneur. Mais il y a appris surtout à jouer l'hymne pentecôtiste sur un rythme nègre de boogie-woogie.

Nick Tosches, dans *Hellfire*, a tracé de lui un portrait terrible, qui est sans doute l'un des miroirs les plus parlants de l'Amérique d'après guerre.

Car Jerry Lee Lewis incarne à lui seul tous les tourments, les espoirs et les contradictions de cette Amérique d'après guerre, qui marqueront Hendrix dans sa chair et son âme.

Déchiré entre ses appétits charnels, ses remords chrétiens et son addiction au rock'n'roll (qu'il regarde parfois comme l'œuvre du diable), Jerry Lee Lewis éprouve une passion violente pour la musique noire, tout en partageant, avec la middle class des Blancs puritains et racistes, les croyances les plus insensées sur les Noirs pourvu qu'elles soient infamantes : qu'ils descendent directement des singes de la jungle où ils bondissent d'arbre en arbre, que le noir de leur peau est d'essence infernale et qu'on risque, à son contact, d'être contaminé, je n'invente rien, qu'ils portent en eux tous les péchés de la terre et se livrent à toutes sortes de chienneries et d'abominations, qu'ils sont paresseux, pervers, voleurs, indolents, d'une lubricité animale, adeptes des bordels et autres lieux de dépravation tels que dancings et clubs de jazz, et qu'il faudrait un jour, bien qu'ils soient des créatures de Dieu envoyées sur la terre pour servir aux Blancs de bêtes domestiques, qu'il faudrait songer enfin à éradiquer au nom de la pureté du Christ et de sa sainte Église.

Hendrix se souvient comme si c'était hier de l'expression de Jerry Lee Lewis lorsqu'il s'avance vers lui dans l'intention de lui déclarer timidement son admiration.

Jerry Lee Lewis ne prend même pas un air méprisant ou surpris ou indigné. Non. Il fait comme si Hendrix n'existait pas. Son regard le traverse comme s'il n'existait pas.

Il est 5 heures du matin. Hendrix essaie d'écarter de son esprit l'image de Jerry Lee Lewis dont le regard le traverse comme s'il n'existait pas. Mais cette image réveille, il ne sait pourquoi, une vieille douleur à l'endroit de son cœur. La vieille douleur des affronts de l'enfance ou la vieille douleur des affronts hérités, les deux indiscernables à ce moment-là de la nuit. Il porte sa main à sa poitrine. Il prend un somnifère. Le sommeil tarde à venir. Il se demande pour la centième fois comment sortir de ce putain de traquenard où l'a mis son succès, comment se libérer de cette putain de logique qui, depuis que Chas Chandler a quitté le navire, le tient prisonnier de Jeffery et l'empêche de se consacrer à ce qu'il aime. Il ne voit pas d'échappatoire. Il brûle d'en sortir, mais comment ? Il se sent impuissant, prisonnier à perpète d'une taule de luxe, ça ne peut pas durer, je vais en crever, putain je vais en crever. Il a pris quelques contacts avec des avocats pour démêler l'imbroglio de ses affaires et régler le différend qui l'oppose à Ed Chalpin au sujet d'un contrat qu'il a signé sans en lire les clauses. Mais il semble que les choses s'enlisent et ne trouvent pas d'issue.

Pour compliquer la situation, Jeffery s'impatiente devant l'intérêt grandissant qu'il manifeste pour le jazz. Il voit d'un mauvais œil son rapprochement avec le producteur Alan Douglas et dissimule de moins en moins son ressentiment. L'idée que Hendrix pourrait le quitter pour aller enrichir quelqu'un d'autre, cette idée l'outrage, le rend fou.

Jeffery a prévenu Hendrix : Il vaut mieux pour toi que tu honores tes engagements. Sinon…

Il a prononcé ces mots avec le visage de qui parvient tout juste à contenir sa haine.

Sinon quoi ? a demandé Hendrix, choisissant de sourire comme si de rien n'était.

Jeffery, sans prononcer un mot, l'a regardé d'un œil froid, implacable.

Hendrix n'a pu soutenir son regard. Hendrix est ainsi fait qu'il ne peut soutenir le regard de Jeffery lorsqu'il a cette dureté de métal. Et il se le reproche comme un signe de faiblesse.

140

Hendrix à présent repense au ton lourd de menaces sur lequel Jeffery lui a parlé, et à la grossièreté avec laquelle il a, juste après, passé ses nerfs sur sa pauvre assistante.

Il repense au visage haineux de Jeffery.

Il le voit, pour la première fois, comme un visage ennemi.

C'est un choc.

Après les cajoleries du début, les promesses, les enthousiasmes, les mon petit on va tous les niquer, puis les avertissements affables, puis les reproches, puis les blâmes, puis les admonestations, puis les abruptes mises en garde, il s'avise que Jeffery use à présent à son encontre de menaces à peine voilées.

Pour la première fois, il se dit que Jeffery est son ennemi.

Et il en éprouve, étrangement, une sorte de délivrance.

Peut-être Jeffery est-il son ennemi depuis le commencement, mais il le réalise pour la première fois, à cet instant et pour toujours. Et tout son rapport à lui, passé et futur, s'en trouve brusquement modifié.

Il se demande jusqu'où pourrait aller Jeffery, dans sa, comment dire? dans son inimitié, pour le contraindre.

Il se demande si Jeffery pourrait aller jusqu'à faire appel à des gros bras et à le. Non, ne pense pas à ces conneries, se dit-il. Dors!

La dope me rend parano.

Il éteint la lampe.

Le sommeil ne vient pas.

Il la rallume.

Il réalise à présent qu'il a su dès le premier jour que Jeffery pouvait lui faire du mal. Pas seulement le gruger, pas seulement l'escroquer, mais lui faire du mal, une autre sorte de mal. Dès leur première rencontre, il a su que le marché qui les liait : musique contre fric, ne pouvait qu'être empoisonné. Fascinant et empoisonné. Dès leur première rencontre, il en a eu l'obscur pressentiment. Mais il a refoulé ce savoir. Et il se dit maintenant que c'est bien fait pour sa gueule.

Il avale trois autres comprimés barbituriques.

À quoi me sert d'être libre dans la musique, se dit-il tout haut, si je suis captif d'un système qui ne me laisse pas d'autre issue que de choisir la forme de ma mort ?

Il boit à même le goulot une bouteille de scotch. Depuis quelque temps, il boit. Beaucoup. Il est bourré et défoncé. Il est en permanence bourré et défoncé. Il essaie de chasser les saloperies qu'il a dans la tête et de fixer son esprit sur des choses insignifiantes. Mais lui revient, implacable, cette pensée qu'il est l'otage de Jeffery qui dispose de lui à sa guise,

qu'il est sa putain de marchandise,

sa vache à lait, se dit-il tout à coup, et il rit seul à cette idée.

Il reprend des somnifères. S'endort comme on se noie. Se réveille à midi, hébété, en miettes. Se souvient vaguement du concert de la veille. Se souvient avec précision de la remarque du flic qui l'a interpellé. Se souvient avec précision de son visage de haine pure.

Il se lève. Six heures le séparent du concert du soir. Vite, une ligne pour le petit déjeuner. Vite, une autre pour se clarifier les idées. Puis un acide, puis deux, puis trois puisqu'il les a sous la main, puisque son proxénète, Jeffery, paternellement, les lui fourgue, sans qu'il ait même à les demander.

Tandis que les choses autour de lui se déforment et dérivent, son corps devient immense.
Il a le sentiment de se défaire, de littéralement se défaire, de n'être qu'un flottement, une ombre, une suspension.
De ne plus s'appartenir.
Avant-goût de la mort.
Qui je suis ? Mais putain qui je suis ? Et comment je m'appelle ?
L'idée lui vient alors de vérifier son nom sur son passeport : il lit Johnny Allen Hendrix. Il se dit c'est bien moi. Il est rassuré. Il ferme les yeux. Le lit tangue.
Il plane à cent mètres du sol.
Tous les objets qu'il aperçoit sont minuscules. Le lit, l'armoire, la table de nuit sont minuscules. Comme dans une maison de poupée. Ça le fait rire. La fenêtre de l'hôtel le regarde. Il se demande pourquoi. Il se demande ce que sa gueule a de spécial pour que la fenêtre de l'hôtel le regarde avec cette insistance.
Quelques heures après, il redescend, et les choses, lentement, reprennent leur mesure.
Il n'a pas faim.

Il se sent fatigué.

Morne.

Tourner. Bouffer des acides. Jouer. Qui pourrait appeler cela vivre ?

Est-ce que je vivrai demain ? Impossible à dire. Une seule chose est sûre. Je ne vis pas aujourd'hui.

Jimi se dit qu'il ne vit pas aujourd'hui.

Ou, pire, qu'il vit dans une tombe. Et il demande :

Est-ce que tu peux venir me délivrer ? Que je sois libre.

Hendrix se dit qu'il n'est pas libre. Et quelque chose le gagne qui ressemble à ce que les Espagnols appellent *el desengaño* : le désenchantement.

Seuls sont exempts du désenchantement ceux qui n'ont pas connu l'enchantement.

Seuls ignorent la chute ceux qui n'ont pas atteint le faîte.

Hendrix a atteint le faîte.

Hendrix a connu ces moments de miracle où sa musique, son esprit et son corps n'étaient qu'un seul élan et qu'une seule fougue. Une divine adéquation.

Hendrix a éprouvé ce sentiment d'être sur scène soustrait en quelque sorte à ses semblables, protégé d'eux, puissant, inatteignable.

Il a vécu ces moments enchantés où il s'appréhendait bien plus grand que lui-même, dépassé par lui-même, démiurge presque, immortel. Ces moments bénis où sa musique trouvait le ciel, où il échappait à la pesanteur des choses, à la viscosité du temps, et aux limites de son être. Loin, très loin de la douleur d'exister.

Il a vécu ces moments où il jouait divinement, non parce que ses managers l'y avaient contraint, ni pour tenir une gageure, ni pour honorer un contrat (il resta jusqu'à la fin idiot en science lucrative, idiot : je veux dire pourvu de la force des idiots, je veux dire étanche aux tractations financières et piètre administrateur de son talent, le contraire parfait d'un thésauriseur, ce n'est pas lui qui aurait intenté des procès pour plagiat comme le firent si souvent les Rolling Stones aux fins de se faire du fric), où il jouait divinement, disais-je, parce qu'il était, à ces moments-là, touché par la grâce, ce qu'aucun contrat au monde ne saurait stipuler.

Mais après la scène, après les lumières, après la fièvre, après l'ovation de la foule qui l'écoute, jambes ouvertes, Hendrix chute aussi bas que l'a hissé son exultation à jouer.
Il chute sur la terre des longs ennuis, du temps qui est lourd, qui est lent, du temps visqueux, qui stagne, qui croupit, comment aller de l'après-midi immobile jusqu'à la nuit musique ? comment venir à bout de ce laps ? comment brûler cet intervalle qui me sépare de la scène où tout enfin reprendra vie, où j'arracherai les heures à leur flux morne, m'en ferai le maître, les cravacherai à coups d'accords pour qu'elles filent et se contractent et se ruent en avant ?

Il chute sur la terre des parasites dont la présence lui est d'autant plus pesante qu'il ne sait pas les congédier. Car Hendrix, l'immense Hendrix, le musicien idolâtré, la rock star mondiale, Hendrix ne sait pas dire non

146

aux importuns, et ce détail, plus qu'un autre, me ferait pleurer. Une escorte de parasites, les uns conscients d'abuser, les autres attirés par les paillettes et la gloire, s'insinuent jusqu'à lui, se mettent dans ses pattes et bouffent sa présence puisque c'est tout ce que les parasites savent faire.

Il chute sur la terre des tourneurs à qui la fortune, augmentée d'un coup, donne tous les droits, et surtout celui d'attribuer à toute chose sa valeur en dollars. Sur la terre des tourneurs pour qui la vulgarité est bien plus qu'une attitude : un art de vivre, et le racisme bien plus qu'une opinion : un idéal. Je ne devrais pas généraliser de la sorte. Il existe très probablement des tourneurs fort corrects. Mais la colère m'emporte devant l'un des chagrins de Hendrix que rapporte la Légende, chagrin qu'il éprouva au début de sa carrière lorsqu'un de ses roadies, un homme fruste et qui riait de tout, le compara, se croyant amusant, à un gorille qui aurait perdu ses bananes. Très drôle, aurait dit Hendrix, profondément blessé, tandis que Mitchell et Redding se fendaient la pêche. Irrésistible, aurait-il répété sévèrement à l'adresse de ses deux musiciens qui se seraient arrêtés net de rire.

Il chute sur la terre des managers pétris de ruse et de cynisme, sur la terre de ces profiteurs d'un opportunisme écœurant et dont la morale se résume à un Faut pas rêver désabusé et à son corollaire obligé, un Faut positiver enthousiaste, quelquefois assorti d'un Faut bien vivre avec son temps faussement résigné. Il chute sur la terre de ces ignobles teignes, l'expression est d'Artaud et elle me plaît, de ces ignobles teignes dont le métier, semble-t-il, est d'être infâmes. Existe-t-il des managers qui ne soient pas infâmes ? Infâmes, c'est-à-dire capables de tout, capables des pires marchandages et des pires crapuleries pour mondialiser leurs produits (le terme n'existe pas encore, mais la chose est en marche et les marchandises musicales commencent à faire le tour du monde), allant, si besoin est, jusqu'à se faire les pro-cureurs lyriques de Justes Causes et les pourfendeurs tout aussi lyriques de la Corruption Universelle et autres fléaux effroyablement capitalistes en jurant leur bonne foi sur la tête de Che Guevara et de Karl Marx réunis (le festival de Monterey sera l'exemple le plus lamen-table de cette tartufferie).

Après donc l'Apothéose, après la joie pure, après la splendeur, après l'ivresse de s'éprouver vivant, Hendrix chute brutalement sur la terre terrible.
Peut-on s'imaginer ce qu'est la chute d'un homme depuis le podium de l'Olympe jusqu'à notre sol ingrat ? Peut-on s'imaginer ce que signifie redescendre après avoir baisé le ciel ?
On dit que les saintes bienheureuses du calendrier, et tout particulièrement sainte Thérèse, savaient pro-longer en douce béatitude leur extase divine. Mais

Hendrix, bien qu'il fût le saint de cette nouvelle église qu'il appelait Electric Church, et bien qu'une image le représentât couronné de l'auréole électrique des anges du paradis (mais il se peut que j'aie rêvé cette image), Hendrix ne sut ou ne put prolonger son extase.

Dans l'intervalle qui séparait les hautes altitudes de la scène des petites misères d'en bas, Hendrix s'égara, déboussolé, et perdit complètement le sens des proportions.

Mais comment, comment pouvait-il trouver, entre le sublime et le banal, ce juste milieu si cher à Aristote ? Comment se réajuster au monde dit réel après avoir habité la foudre ?

Comment s'accommoder d'un manque d'être après avoir été dans cette plénitude ?

Comment souffrir ce qu'on appelle les contingences ?

Comment supporter la fadeur, le désordre, la vie dénuée d'esprit, la cupidité environnante, les bruits sans grâce du quotidien et le monde roturier des ustensiles, comment les supporter après avoir touché les cimes et ressenti l'effleurement des anges ?

Comment passer d'une scène aux dimensions de la planète à sa petite scène privée ?

Comment, après avoir été l'astre resplendissant vers qui mille regards convergent, après avoir ébloui dans des habits de feu, comment se fondre dans la masse grise des hommes du commun (sans toutefois pouvoir y disparaître tout à fait, puisqu'on est une star, qu'on est plein aux as, et qu'on est de surcroît un nègre) ?

Comment passer, sans déchoir, de cette fusion miraculeuse entre soi et la foule à la solitude sinistre d'une chambre d'hôtel ?

Comment, après avoir été l'exception, devenir un homme comme les autres ? Un homme aussi médiocre, aussi esseulé, aussi peu divin que les autres.

Tantôt tout-puissant, tantôt misérable, Hendrix est sans cesse ballotté entre ces deux extrêmes.

Alors il fume du cannabis et il prend de l'acide.

Il faut savoir qu'à cette époque tous les jeunes dans le vent se croient obligés de prendre de l'acide.

Qui ne prend de l'acide est tenu, irrémédiablement, pour un froussard et un médiocre.

Hendrix, peu à peu, en augmente les doses.

À défaut d'abolir l'ennui, le dégoût, le désespoir, la bêtise, la violence et tous les aléas de la vie, l'acide, provisoirement, en dissout les effets.

Il suffit à Hendrix d'une dose, et le monde réel s'évanouit. Et Jeffery avec. Et sa mère enfantine, à qui il n'a pu dire adieu et qu'il s'accuse d'avoir abandonnée. Et son père sévère qui toujours sévèrement le regarde. Et la grogne de Redding qui ne peut se hisser à la hauteur de ce qu'il lui demande. Et la foule des parasites. Et le harassement des voyages. Et toute cette merde, toute cette merde, toute cette merde.

Hendrix se drogue tout simplement pour que la drogue le rende normal. Comprenez-vous cela ?

Pour qu'un peu de paix descende en lui.

Pour que le temps furieux des tournées se repose et se calme. Et que la vie retrouve sa bêtise.

Pour que la dope, au moins provisoirement, atténue son inadéquation au monde et ces brusques changements d'échelle qui le laissent tout égaré.

Il prend de l'acide, il fume du hasch, il sniffe de la coke, il avale des barbituriques. Des produits pour rendre la réalité qu'il vit supportable. Comprenez-vous ?

Il est 19 heures. Hendrix absorbe une nouvelle dose d'acide.

Il doit se préparer pour le concert dont il vient d'apprendre qu'il a été reporté au lendemain matin.

Il a tellement plu à Woodstock lors des jours précédents, et les organisateurs du festival ont été tellement débordés, que tous les groupes invités sont passés avec retard. Ravi Shankar, Joan Baez, Santana, Grateful Dead, Janis Joplin, The Who, Joe Cocker, Johnny Winter, les Sha Na Na… tous sont passés avec retard. Il est prévu que Hendrix clôturera en beauté le festival. Il jouera donc le lundi matin. À 8 heures.

Hendrix a devant lui toute une nuit à attendre. Rester cool. Rester cool. Il enfile un pantalon bleu et une chemise à jabot jaune. Il se regarde dans la glace. Se trouve ridicule.

Troque sa chemise jaune contre une chemise orange. Hendrix porte toujours un soin extrême à sa tenue. La chemise orange fait trop ressortir, à son goût, sa peau de nègre. Il se trouve moche. Il enlève la chemise orange et enfile sa veste à franges, sa veste de Cherokee. Il se dit c'est exactement la tenue qu'il me faut.

Il jouera *The Star Spangled Banner* vêtu d'une veste d'Indien sur son torse de nègre.

Hendrix aimait les fringues.

Toutes ses photographies témoignent de ce goût.

Espérait-il, grâce à elles, transfigurer le Noir qu'il était, lequel brisa à coups de poing, un soir de démence à Göteborg, tous les miroirs qui lui renvoyaient sa sale gueule ?

Espérait-il éblouir et aveugler le regard des autres, ce regard qui évalue, qui juge, qui jauge, qui sanctionne et souvent méprise ?

Espérait-il plier et soumettre le regard sévère d'un père dont il appréhendait encore, devenu adulte, le jugement ?

Voulait-il faire du paraître le leurre du chasseur, c'est-à-dire l'illusion qui attire et permet de glisser de la visible beauté de la scène à l'invisible et subtile beauté de la musique ?

Voulait-il proposer une musique pour les yeux ? Une musique qui réjouisse les yeux ? et qui les rajeunisse ?

Voulait-il, en somme, que l'œil l'écoutât ?

Écoute avec les yeux, vois avec les oreilles, disent les Saintes Écritures.

Voulait-il prendre sa revanche sur l'enfant mal fringué qu'il avait été, comme en fine psychologue je le suggérai plus haut ?

Une chose est sûre à propos de son goût pour les fringues, c'est que l'époque exaltait ce penchant.

L'époque était à la valorisation du paraître, longtemps disqualifié dans l'Amérique rigoriste qui tremblait d'y voir reflétés les charmes du Malin et enseignait hargneusement aux femmes de se détourner des tentations du monde et de faire abandon des joies indignes du semblant.

Ou plus précisément, l'époque était au refus du clivage entre le dedans et le dehors, entre le profond et le plat, entre l'être et le paraître.

L'époque était au refus de croire que l'être se blottissait en dessous du paraître, et qu'il fallait, pauvret, l'en délivrer.

L'époque était aussi à l'inversion des signes sexuels ou à leur ironique vacillement. Et Hendrix incarnait superbement cet ironique vacillement. Il se couvrait de bijoux tels que s'en paraient les femmes, mettait des chemises à jabot telles qu'en portaient les femmes et nouait à son front un foulard de soie rose tel que s'en ornaient les femmes.

L'époque était à la révolte contre l'industrie normalisée de la mode et au rejet violent de l'existence morne des cadres en costume trois pièces et cravate terne, uniquement soucieux des cotations boursières de leur big bizness.

L'époque était au refus des habitudes, lequel s'inaugurait par un changement d'habits.

On portait la soie, le strass, les paillettes, le rose, l'orange, le mauve, les franges, les boas, les jabots, les écharpes, les colifichets, les fanfreluches et les bijoux dorés.

On voulait que le flacon importât autant que l'ivresse. Qu'il ajoutât à l'ivresse.

On voulait donner leurs droits à la futilité, à la frivolité et à leurs artifices, dans un monde bigot où l'austérité, la raideur et la mocheté se posaient comme autant de vertus.

On voulait que de flamboyantes couleurs exprimassent la flamboyance de nos vies. On voulait qu'elles s'opposassent à une vision pauvre et délavée du monde, qu'elles intensifiassent nos regards, qu'elles célébrassent le sensible et l'excédassent assent assent.

On était pour le baroque, pour sa luxuriance, pour sa générosité, pour son énergie, sa liberté, son mauvais goût. On adorait le mauvais goût, ou plutôt ce que les esprits académiques tenaient pour du mauvais goût.

On l'affichait résolument contre la sévérité classique, contre l'implacable rigueur puritaine et contre l'élégance sobre des grands bourgeois que l'on regardait comme une chose funèbre.

On aimait le disparate, le multicolore, l'énorme, l'exorbité.

On aimait les injures jetées à la grise avarice des sens.

On aimait l'outrance.

On aimait la frime.

On aimait les déguisements (Hendrix à Paris, en 1967, avec sa veste à brandebourgs).

On aimait les couleurs qui en jettent.

La pourpre.

Le rouge sang.

La couleur des flammes.

On aimait celles qu'arbora Hendrix sur la scène de Monterey au mois de juin 1967, tout feu dedans, tout feu dehors. Splendide.

Ces couleurs d'une jeunesse qui espérait encore, qui rêvait encore d'un monde chaud et généreux.

Ces couleurs qui s'assombriraient avec le temps, comme en signe de deuil, jusqu'à tous nous vêtir de noir.

Ces couleurs que Hendrix infusa au blues, lequel se peignait depuis ses origines dans les couleurs de la mélancolie. Ce bleu qu'il infusa, car il était aussi, quoique sans le savoir, un peintre de la musique, qu'il infusa au noir aimé du blues, au noir qu'il fit plus noir encore, qu'il fit couleur d'enfer, mais qu'il maria au rouge, au rose, au vert, au mauve et au lilas.

Ces couleurs qui avaient peut-être, aux yeux de Hendrix, un pouvoir identique aux baisers de sa grand-mère Nora : celui de chasser, momentanément, sa tristesse.

Ces couleurs qui étaient, peut-être aussi, une forme d'antidote, de remède magique à sa timidité.

Je voudrais revenir sur cette timidité de Hendrix qui me rend l'homme si bouleversant.

Hendrix était timide jusqu'à la crainte. Tous ceux qui le connurent l'affirmèrent.

Hendrix était timide autant qu'il était modeste, un trait aggravant l'autre.

Hendrix n'aimait pas la ramener, ni poser pour la galerie, ni mendier des éloges, ni loucher sur une virtuosité que tous lui reconnaissaient, ni se faire, comme on dit, mousser.

Jamais dressé au-dessus des autres.

Jamais prétentieux.

Convaincu que, des sept abominations que haïssait le Seigneur, la première était l'arrogance, comme le prédicateur de son enfance l'avait déclamé, un jour, du haut de la chaire, d'une voix fanatique.

D'une modestie si rare qu'elle en était touchante et tranchait avec la morgue de la plupart des rockers de l'époque que leur statut de star avait tellement grisés qu'ils n'en finissaient pas, sur scène autant qu'ailleurs, de pavaner leur vanité, braguette en avant, avec l'aplomb des parvenus, et de se repaître d'eux-mêmes dans une satisfaction des plus écœurantes.

D'une modestie, disais-je, si innocente, si peu coquette, si dénuée d'affectation qu'elle désarma tous ceux qui l'approchèrent et lui permit d'être admiré des musiciens de son temps, lesquels auraient pu, devant tant de talent, se rembrunir ou s'effrayer.

D'une modestie qui n'était nullement cette hypocrite contrition qui aime à s'afficher. Qui n'était pas davantage la navrante séquelle d'une absence d'orgueil. Je crois au contraire qu'un orgueil farouche l'autorisait à être humble sans qu'il pût craindre un seul instant d'avoir l'air de s'abaisser.

La Légende hendrixienne ne tarit pas sur cette modestie vraie ni sur l'incurable timidité qui lui faisaient le visage doux, impénétrable et doux (pas une des photographies dont on dispose ne le montre avec ce rictus méchant et agressif que presque tous les rockers s'évertuaient à afficher sur les pages des magazines).

La Légende dit que, à peine entré dans une pièce, il s'installait dans le coin le plus obscur afin de ne pas attirer l'attention, quand la plupart des rock stars de l'époque ne pensaient qu'à une chose : se faire remarquer de toutes les manières, et surtout des mauvaises.

La Légende dit qu'il parlait peu, gardait le silence, savait écouter, aimait écouter.

Elle dit que sa timidité et sa modestie étaient si profondes qu'elles l'amenèrent à fuir les cérémonies qu'on organisa en son honneur, lorsqu'il revint, après quatre ans d'absence, dans sa ville natale de Seattle.

Elle dit que, lorsque le proviseur du lycée de Seattle voulut lui remettre, à titre honorifique, le certificat de fin d'études qu'il n'avait pu obtenir adolescent, faute d'assiduité, il balbutia quelques mots, emprunté, gourd, mal à l'aise, et écourta brusquement la cérémonie.

Elle dit que, lorsque les édiles de la ville voulurent, le même jour, lui remettre symboliquement les clés de Seattle dans une boîte ornée d'un ruban rouge, les clés d'une ville cher monsieur Hendrix où vous avez grandi et que vous avez contribué à rendre illustre, il répondit, dans un petit sourire, que les seules clés qu'il aurait aimé détenir étaient celles de la taule (où il avait été brièvement détenu en 1961 pour un vol de bagnole), puis coupa court à tous les compliments, et battit en retraite.

Elle dit que Jimi fut, en revanche, très heureux de retrouver à cette occasion son frère Leon qui lui raconta la nouvelle vie de son père avec Ayako, son épouse japonaise, et leur fille adoptive Janie.

Elle dit que durant le concert qu'il donna lors de ce bref séjour à Seattle, au Center Arena, il fut d'une sobriété exemplaire, comme si la présence de son père, assis fièrement au premier rang, lui avait interdit tout débordement et toute extravagance (ce fait qui est avéré m'attendrit, je ne sais pourquoi, plus qu'aucun autre).

La Légende dit que Hendrix resta toute sa vie l'enfant timide que son père impressionnait.

Qu'on devinait toujours chez lui une sourde inquiétude au sujet de sa valeur, une angoisse, une insatisfaction, un sentiment d'incomplétude que rien, jamais, n'apaisait.

Qu'il se reprochait de ne pas savoir déchiffrer la musique.

Qu'il attrapait tout à l'oreille. Tout. Qu'il avait l'oreille absolue. Mais que lire la musique, non, il ne savait pas, trop nul pour ça.

Qu'il disait ma voix est laide.

Qu'il disait je suis moche. J'ai des boutons.

Qu'il disait aujourd'hui je suis encore plus mal habillé que James Brown.

Qu'il disait j'ai parfois l'impression de faire de la musique de merde. Non ?

La Légende dit qu'il partageait cette dépréciation de lui-même avec les Indiens qu'il avait rencontrés au hasard de ses tournées. Des hommes au désespoir. Des hommes plus désespérés que tous les désespérés qu'il avait croisés dans les nuits de l'enfer, à Seattle. Des hommes qui, avachis sur des chaises en plastique dans la cafétéria de leur réserve, devant des tables jonchées de canettes de bière, s'accusaient d'une voix d'ivrogne d'être devenus, eux les Américains d'origine, des Américains de foire, des Américains de cirque, des pantins, Une autre bière, please, pour trinquer au dollar, à la libre entreprise et à la grande famille américaine qui nous a si magnanimement ouvert les bras.

La Légende dit qu'il sortit de sa timidité d'exceptionnelles fois, parce qu'il était très, mais alors très très en colère.

Que le lendemain de son triomphe à Monterey, Pete Townshend alla à sa rencontre pour lui présenter des excuses au sujet des chicaneries auxquelles il s'était livré la veille à propos de l'ordre de passage des groupes sur la scène. Et comme il lui demandait un morceau de la guitare qu'il avait incendiée, Hendrix le timide lui envoya d'un ton cinglant Je vais même te la dédicacer connard de Blanc! Et le rouge de la honte se peignit sur le front de Townshend.

Qu'une autre fois, dans un hôtel de Göteborg, sa timidité, sous l'effet de l'alcool, se résolut en une fureur clastique. Qu'il brisa tout ce qui était à sa portée. Qu'il fracassa de ses poings les miroirs abominables qui lui renvoyaient sa gueule de nègre. Qu'il hurla qu'il en avait marre de cette putain de vie de merde, de ces concerts de merde et de ces pitreries de merde. Qu'il en avait marre et plus que marre de reprendre *Hey Joe* pour la quatre centième fois. Qu'il malmena sa compagne d'un soir dont il avait oublié le prénom. Qu'il hurla qu'il allait buter cette salope. Qu'est-ce qu'elle foutait dans ses pattes ? Qu'il la frappa violemment (hagiographes, sautez ces lignes !). Qu'il lui donna des coups sauvages sur la figure. Qu'il s'acharna sur elle sans qu'il comprît les raisons de son acharnement, lui qui était connu pour être d'une affabilité parfaite, lui qui avait si rarement abusé de son statut de star pour se conduire odieusement avec les femmes, ainsi que le voulait la mode rock.

On dit qu'ensuite, il se sentit apaisé comme il ne l'avait pas été depuis longtemps. Qu'il s'endormit sans somnifère. Et qu'il se montra incapable, le lendemain, de dire ce qui s'était passé.

On dit que sa timidité et sa modestie furent ses maladies d'enfance.

Maladies d'enfance d'un petit métis de Seattle, pauvre, crépu, fringué à la diable et au cœur malmené dès l'âge le plus tendre.

Maladies d'enfance dont il ne guérit jamais et qui donnèrent à sa voix ce grain si singulier, ce phrasé inimitable, ce frémissement mélancolique, comme si quelque chose au fond de lui, en dépit d'une puissance musicale hors du commun, infiniment se lamentait.

Sa grand-mère paternelle, Nora, fut peut-être la seule personne au monde dont la présence le consola.

Nora habitait Vancouver, près de sa fille Patricia à qui Jimi et Leon furent confiés après la séparation de leurs parents.

Nora était bonne, gaie et tendre. Et les soirées près d'elle constituèrent pour Jimi, je crois le deviner, le meilleur de sa vie.

Nora, une pipe de maïs à la bouche, lui racontait des histoires d'Indiens, des histoires embellies, héroïques, pleines de guerriers intrépides et de Blancs sanguinaires, des histoires qu'elle lui avait racontées si souvent qu'il ne savait plus si elles faisaient partie ou non de ses propres souvenirs.

Certaines fois, pour le faire rire, elle lui parlait dans la langue que l'on prête aux Indiens dans les westerns :

— Moi craindre que Jimi enfonce tomahawk dans tête de Renard Bondissant, disait-elle.

— Non, moi vouloir aucun mal à Renard Bondissant,

mais moi vouloir grand mal au chef du KKK. Moi, grand guerrier cherokee, vouloir scalp du chef du KKK, disait Jimi.

Et tous deux éclataient de rire.

Nora était simple et sans équivoque, ce qui explique peut-être qu'elle mourut très vieille. Lorsqu'elle aimait, elle aimait. Sans les réserves, sans les complications, sans les embrouillaminis névrotiques qui passionnent la plupart les adultes.

Nora aimait Jimi.

D'un cœur clair.

Et tout en repassant son linge avec un fer qu'elle faisait chauffer sur son petit poêle à bois, elle évoquait pour lui sa jeunesse de danseuse dans une troupe itinérante, ses robes chamarrées, son goût pour le fox-trot et pour le charleston, ses exhibitions dans des cabarets miteux entre deux vaudevilles, les trajets cahotants dans une camionnette déglinguée d'une bourgade l'autre, les malheureux cents qu'elle était si heureuse de gagner tandis que les patrons se remplissaient les poches, tous les fastes et toutes les misères de la vie en tournée que Jimi découvrirait plus tard, quand il serait devenu un grand musicien.

Tu crois mamie que je le serai ?

J'en suis sûre, mon Jimi.

Comment peux-tu en être sûre, mamie ?

C'est mon cœur qui le dit.

Tu veux me faire avaler que tu as un cœur qui parle ?

Oui monsieur, et je te dirai mieux : mon cœur est poly-glotte et il ne ment jamais.

Poly quoi ? disait Jimi.

Polyglotte, ça veut dire qu'il parle en plusieurs langues. Voyons le tien, disait Nora en se penchant sur la poitrine de Jimi pour écouter son cœur. C'est un cœur de grand musicien, disait-elle, l'oreille collée sur le cœur de Jimi. Et Jimi riait de bonheur.

Certains soirs, elle lui racontait l'existence romanesque de sa mère, l'arrière-grand-mère de Jimi, une princesse, parfaitement ! et de toute beauté !

Blonde ? demandait Jimi. Comme Marilyn ?

Nora riait.

Une princesse brune comme Jane Russell, non, comme Gene Tierney, non, comme Ava Gardner, une princesse brune comme moi, mon chéri, qui avait véritablement une allure de princesse et à qui son père, un chef che-rokee, avait donné de l'instruction, parfaitement ! et c'est cette instruction exceptionnelle associée à son titre de princesse et à sa sublime beauté qui lui valut d'être épousée par un Blanc, parfaitement ! car à l'époque les jeunes princesses indiennes tombaient toutes amou-reuses des Blancs. Je me demande bien pourquoi, disait Nora, songeuse.

Pourquoi quoi ? disait Jimi.

Pourquoi les princesses indiennes tombaient toutes amoureuses des Blancs.

C'est à cause de l'argent, disait Jimi avec sérieux.

Pas bête, disait Nora.

Ensemble ils regardaient les feuilletons d'amour de la télévision dans lesquels des femmes à la peau blanche tombaient follement amoureuses du fric des hommes blancs, car tous les hommes blancs des feuilletons télévisés jouissaient d'une excellente situation, et Jimi et Nora, ces fortunes énormes, ça les faisait rêver.

D'autres fois, ils fabriquaient ensemble des pâtisseries. Ensemble, c'est-à-dire que Jimi battait le blanc des œufs avec une fourchette tandis que sa grand-mère Nora se tapait tout le reste.

Ou bien ils jouaient au Scrabble, mais leur jeu était perturbé parce que chacun voulait que l'autre gagnât, chacun faisait l'idiot, chacun feignait de ne pas savoir, et tout le piquant du jeu disparaissait, On joue à autre chose?

Certaines soirées d'hiver, Nora évoquait, pour qu'il ne l'oublie jamais, jamais, jamais, la marche de seize mille Cherokee qui furent expulsés de leur terre en dépit de tous les engagements qui avaient précédé. Car l'infâme président Andrew Jackson, n'oublie jamais ce nom, mon chéri, l'infâme président Jackson qui avait parfaitement compris que l'art de gouverner était l'art de mentir, mentit au peuple cherokee de la façon la plus honteuse. Cette crapule mentit au point de qualifier, dans son discours à la nation du 6 décembre 1830, retiens bien ça mon chéri, cette crapule mentit au point de qualifier d'échange équitable et de politique libérale et généreuse la loi abominable qui décida de l'expropriation, de l'expatriation et de la déportation de tout un peuple.

Quel trou du… murmurait Jimi.

Quel quoi ? disait Nora.

Quel gangster, disait Jimi.

Et tu sais ce qui arriva quelques années après, à cause de ce gangster ? reprenait Nora. Écoute bien mon chéri et retiens bien ce que je vais te dire. En 1838, retiens bien cette date, en 1838, tous les hommes cherokee furent arrachés à leur travail, toutes les femmes cherokee arrachées à leur foyer, tous les enfants cherokee arrachés à leur mère, et tous les vieux et les infirmes poussés dehors à coups de baïonnette, n'oublie jamais jamais jamais cette infamie, mon chéri. Tous furent regroupés par la force dans des fortins de misère sans qu'ils puissent comprendre un mot à la langue des soldats qui exécutaient les rafles, ça ne te rappelle rien ?

Ça me rappelle la famille Andrews, disait Jimi, quand les gendarmes ont déboulé dans l'immeuble.

Tous furent arrachés au village qu'ils aimaient et que leurs ancêtres habitaient depuis des siècles. Tous furent raflés au nom de l'Amérique bien-aimée, de la sainte expansion chrétienne, et de l'usage bénéfique que les

Blancs feraient des terres qu'ils leur volaient légalement. Et un long voyage vers l'Ouest commença, écoute bien parce qu'on ne te l'apprendra pas à l'école. Un long voyage commença sous une chaleur effroyable qui les faisait tous crever de soif. Après la sécheresse de l'été, vinrent les pluies de l'automne, les enfants mal vêtus frissonnaient, les chariots s'enfonçaient dans la boue, les chevaux fourbus s'enlisaient, les vieillards décharnés se laissaient tomber sur le bord des routes, pour y mourir. On raconte que, parvenus au bord du Mississippi, les chiens de la cohorte se mirent à hurler à la mort avant de se jeter dans les eaux glacées du fleuve pour y suivre leurs maîtres.

Sans savoir nager ? demandait Jimi plein d'inquiétude.

Tous les chiens savent nager, rassurait Nora.

L'hiver arriva et, à l'épuisement, au désespoir, à la faim, à la soif, s'ajouta le froid, terrible cette année-là. Quatre mille Cherokee moururent, ne l'oublie jamais mon Jimi, disait Nora qui oubliait complètement de rallumer la pipe qu'elle avait aux lèvres. Quatre mille Cherokee moururent lors de cette déportation légale qui n'eut d'autre raison que l'horrible cupidité des Blancs à l'égard de leurs terres.

Nora restait un moment silencieuse et le visage grave.

Ça me donne envie de chialer, disait Jimi, tant de méchanceté.

De pleurer, disait Nora.

De pleurer, disait Jimi.

Quelle canaille, ce Jackson, disait Nora d'une voix que l'indignation altérait, quelle ordure, quel menteur, quel infâme menteur. Si je le tenais!...

Quand on pense comment il vola la vérité aux Cherokee et comment il la trahit! continuait Nora de cette voix bizarre, légèrement tremblante, qu'elle prenait chaque fois qu'elle évoquait cette histoire. Quand on pense comment les paroles de sa bouche renièrent leurs promesses! Et comment il trompa le malheureux John Ross!

John Ross? interrogeait Jimi.

Le chef des Cherokee, disait Nora. Un métis comme toi. Je trouve, disait-elle, que tu as quelque chose de lui.

De John Ross? demandait Jimi.

Tu as son calme, disait-elle en lui posant tendrement sa longue main sur la nuque.

Et après un nouveau silence.

Je me demande, disait-elle, si les présidents des États-Unis ne sont pas les hommes les plus menteurs de la planète. Heureusement, ajoutait-elle, qu'ils ont le bon Dieu avec eux!

Ils le paient combien? demandait Jimi, malicieux.

Cher, disait Nora.

Ils font vraiment chier, disait gravement Jimi.

Suer, disait Nora.

Suer, disait Jimi.

Après quoi, Nora entonnait une étrange mélopée dont Jimi ne savait dire si elle exprimait la plainte d'une bête mourante ou l'inconsolable lamentation d'une amante délaissée. Et la tristesse lancinante que Nora psalmodiait tout en tisonnant l'âtre de ses longues mains brunes (dont il avait hérité) lui rappelait la mélancolie du blues des plantations qu'il écoutait sur les radios noires de WMIS, et qui lui serrait, chaque fois, le cœur.

Mais dès le lendemain, Nora se montrait gaie. Et pour saluer comme il convient la joie d'un jour nouveau, elle se vêtait d'une robe imprimée de rose, de jaune et de violet qu'elle avait commandée sur un catalogue de vente par correspondance dans la nouvelle collection printemps-été. Et Jimi lui disait Tu es belle.

C'est d'une robe semblable qu'elle s'habilla, le soir du concert que donna Hendrix à Vancouver, bien des années après, concert au cours duquel il lui dédia *Foxy Lady*. Et Nora, dans sa robe de toutes les couleurs, crut véritablement défaillir de bonheur. Nora, il est important de le préciser, Nora aimait toutes les couleurs qu'elle qualifiait d'indiennes, le rouge sang, le vert émeraude, le jaune pollen, le blanc de chaux, et le bleu le plus bleu de tous les bleus du monde. Les Indiens, disait-elle, ont davantage que les autres le sens de la couleur. Il n'y a qu'à voir les plumes dont ils se parent!

Et qu'ils se mettent où? disait Jimi.

Et tous deux éclataient de rire.

Me voici revenue à Woodstock, ce fameux 18 août 1969, où Hendrix, en jouant *The Star Spangled Banner*, colla la chair de poule aux vingt mille personnes qui étaient restées pour l'écouter.

J'ai affirmé, plus haut, qu'il fallait se garder de réduire *The Star Spangled Banner* à la seule protestation contre la guerre, et que toute lecture simpliste, tout dogmatisme supposé seraient une injure crachée à la gueule et à l'œuvre de Hendrix.

Mais on ne peut nier que la guerre au Vietnam inspira *The Star Spangled Banner*, comme la guerre d'Espagne inspira en son temps les romans de Bernanos, de Malraux ou d'Hemingway.

À l'instar de Prokofiev (à quel grand musicien ne l'aurai-je comparé ?) qui composa la *Septième Sonate en si bémol majeur* opus 83 en 1942, c'est-à-dire au paroxysme de la guerre, et qui exprima cette tragédie mieux que tous les discours du monde, Hendrix en composant *The Star Spangled Banner* en dit plus long sur la guerre et ses ravages, en trois minutes quarante-trois, que tous les livres et tous les films qui se firent à cette époque, aux USA.

Et il y parvint à la seule force de sa musique, une musique à côté de laquelle toute autre expression sembla soudain affreusement fadasse et bête.

Il y parvint à la seule force de sa musique, en suppliant les cordes de sa guitare, en amplifiant les sons à mort, en les broyant, en les distordant, en les faisant grincer dès qu'on risquait de croire à une mélodie, en prolongeant ces grincements en échos amplifiés, en amplifiant en même temps tous les bruits parasites que les autres guitaristes s'évertuaient à masquer, en étranglant l'éloquence dès que celle-ci commençait à enfler, en brisant net tout élan dès qu'il devenait pathétique car il était hors de question de s'attendrir ou de se complaire, mais juste de hurler contre l'horreur et de hurler avec la même force en faveur de la Beauté, en stoppant en plein vol une rafale d'accords, car la musique qu'il jouait pouvait, comme la vie, se rompre à tout instant, en faisant aboyer tous les chiens de l'enfer pour en faire une clameur à réveiller les morts, puis en les faisant taire avec la même fermeté que s'il maîtrisait un démon, en travaillant ensemble les ruptures et les enchaînements, les fulgurations et les pauses, les hurlements et les silences, en provoquant le duel, pour le dire autrement, entre Dieu et le diable, en insistant sur le motif pour l'abandonner et le reprendre, puis l'abandonner et le reprendre, toujours en danger de le perdre, en produisant sans cesse de nouvelles dissonances (car non seulement il ne les camoufla pas, mais il les accentua, fini l'harmonie leibnizienne!). Hendrix fit entendre à la foule, ce jour du 18 août 1969, à Woodstock, à 9 heures du matin, la terrible dissonance du monde, dissonance dont un philosophe, quelques années plus tard, déclarerait qu'elle était devenue désormais la condition de l'homme moderne.

Mais qu'on me comprenne bien, Hendrix ne le fit pas comme on sermonne ou comme on plaide.
Si son Hymne parla avec cette force à la jeunesse d'alors, s'il la fédéra et libéra son cœur, si son Hymne devint, autant qu'un cri lancé contre la folie guerrière et la modernisation de la barbarie, autant qu'un défi lancé à la gueule des pouvoirs en place, si son Hymne devint, disais-je, un Hymne à la liberté, ce ne fut pas parce qu'il prêchait pesamment cette liberté, mais parce qu'il était la liberté même.
Hendrix libéra *The Star Spangled Banner*, et, le libérant, lui redonna le sens qu'il portait dès l'origine.
Car il est important de préciser que le texte d'origine dont le sens s'était perdu à force d'être ânonné, ce texte qui était devenu avec le temps une chose vide et qui sonnait comme une coquille creuse, ce texte fut écrit en 1814 par un certain Francis Scott Key, à seule fin de protester contre la guerre.

Avocat et poète, Francis Scott Key avait assisté en 1812 au bombardement de Fort MacHenry, à Baltimore, par les navires britanniques de la Royal Navy entrés dans la baie de Chesapeake.

Il avait écrit alors ce poème de colère, pour rendre hommage à la résistance héroïque des soldats qui avaient vaillamment défendu le fort et hissé à son sommet le drapeau américain en dépit de l'acharnement des ennemis à y planter le leur. Et ce texte, joué sur l'air de *To Anacreon in Heaven*, une chanson populaire anglaise, était devenu en 1931 l'hymne officiel des États-Unis. Hendrix, disais-je, lui redonna son sens premier.

Il lui redonna sa mémoire,

lui redonna la vie,

le sang,

la rage.

Il lui insuffla la liberté,

le tisonna,

l'ensauvagea,

le détourna, et ce, non pas pour le trahir, encore moins pour l'offenser, comme le crurent les fanatiques du drapeau, mais, au contraire, pour qu'il dît plus fort et plus distinctement ce qu'il disait réellement et qui, à force d'usure, s'était aliéné ou perdu.

Il y mit le feu, il y mit le schisme, il y mit la guerre et tous les morts.

Et à l'instar de Chostakovitch qui avait fait éclater des coups de canon dans sa *11ᵉ Symphonie*, Hendrix y fit entendre le vacarme insensé des bombes sur le Vietnam, il y fit entendre le bruit terrible de leurs explosions et les cris d'épouvante devant la mort qu'elles semaient, avec une puissance dramatique que Coppola, quelques années après, essaierait de retrouver dans des images en rouge et noir.

Il fit de *The Star Spangled Banner* une oraison, une oraison en forme de fracas, une prière fracassante au ciel et à la terre, un chœur d'anges hurlants qui semblait par instants échapper à tout contrôle, pour revenir, d'un coup, à la raison, puis d'un coup repartir en démence.

Et lorsqu'un célèbre présentateur de la télévision américaine demanda à Hendrix pourquoi il avait composé cette version extravagante de l'hymne national, Hendrix répondit simplement C'est par goût de la beauté. Sans en dire davantage. Car Hendrix, comme tous les timides, n'aimait pas à s'expliquer.

Tout autre se serait rengorgé : c'est par irrespect, c'est par provocation, c'est par indignation, c'est par révolte.

Hendrix dit juste : C'est par goût de la beauté.

Et on le crut absolument.

Hendrix, en jouant *The Star Spangled Banner*, déposa une bombe dans les cœurs, et la beauté de son geste apparut absolument. Il n'y eut que les timorés qui ne surent la voir.

Sa beauté apparut, qui a pour autre nom vérité. La beauté est vérité, la vérité beauté, disait Keats, citation que je m'empresse de transcrire pour me disculper de l'absence de développement que devrait induire une réflexion de cette altitude.

Hendrix répondit au présentateur de télévision C'est par goût de la beauté, et on le crut absolument, disais-je avant ce bref emballement. Car son geste n'était ni défi, ni outrage, ni offense au drapeau, comme les belles âmes s'en indignèrent avec, à la bouche, la bave du patriotisme offensé. Sans doute ces belles âmes avaient-elles deviné que sa musique, comme toute musique digne de ce nom, était éminemment suspecte, autant que le sexe qu'elles (les belles âmes) haïssaient avec la même ardeur. Sans doute ces belles âmes (dont quelques enquêtes bien menées disaient qu'elles souffraient d'aigreurs stomacales assorties de dyspareunies) avaient-elles compris que la musique était coupable d'entortiller les cœurs, d'agir directement sur les neurones, et de cogner assez fort sur les âmes pour les ouvrir à vif, les pénétrer de part en part, puis les étourdir comme avec de la drogue. Music Is Dangerous, les avait averties déjà un pleutre nommé Platon, lequel estimait que, s'il existait une musique bienfaisante pour l'esprit parce que accordée à l'harmonie des sphères, il fallait se méfier comme de la peste de ces musiques orgiaques faites de sons stridents, de dissonances affreuses et de rythmes endiablés qui déchaînaient les passions les plus bestiales et aveuglaient tragiquement la raison.

Car son geste n'avait nullement cette vocation de déplaire et de scandaliser dont un certain rock, qui se voulait insolent et blasphématoire, s'était fait, en quelque sorte, la spécialité.

Je parle de ce rock qui, par défaut de grâce et d'engagement passionné, en rajoutait et en surajoutait dans le fracas et le trépignement hystérique, se livrant à une violence sommaire, stérile, jetée telle quelle, et non transfigurée, la violence des bêtes qui tirent sur une chaîne qui ne rompra pas, une violence vide qui ne menait à rien et n'avait d'autres fins que celles de profaner pour profaner et de détruire pour détruire les valeurs qu'il pensait bourgeoises.

Je parle de ces rockers qui, croyant offusquer les conservateurs à col blanc en exhibant, à la place de la cravate, les accessoires obligés de la révolte (quelques fureurs bien senties, deux ou trois excentricités et une coiffure hirsute), n'en étaient, au fond, que l'expression symétrique.

Je parle de ces rockers, ne m'obligez pas, je vous prie, à citer des noms, de ces rockers qui, devant un public venu s'encanailler à peu de frais, proposaient une version light et digestive de la révolte à grand renfort de gesticulations, le temps d'un intermède apéritif et juste avant de retourner aux affaires et de calculer froidement, en millions de dollars, le pourcentage sur les droits.

Conformisme de l'anticonformisme. Le plus écœurant de tous les conformismes. Et le plus ennuyeux. Dont un certain rock nous abreuva, lequel sévit, me semble-t-il, encore. Et qui m'inspire le même rire mauvais que ces rebelles qui se targuent de défier le système capitaliste en brûlant, intrépidement, un feu rouge.

Hendrix, justement parce qu'il était un véritable créateur, ne se soucia pas plus de chercher les faveurs du public que d'en solliciter les défaveurs.

Seul un art mineur se soucie de plaire ou de déplaire.

Il n'envisagea jamais de se plier, pour avoir du succès, à la stratégie du scandale ou à la provocation calculée. Il se moqua éperdument de passer pour un conformiste autant que d'être regardé comme un anticonformiste.

De la même façon qu'il dédaigna d'assurer financièrement son avenir, orgueil ou négligence qu'il paya plus tard au prix fort.

Il le déclara plusieurs fois avec une désarmante simplicité, il ne s'intéressait nullement à ce que la plupart des rockers de l'époque avaient à cœur : le fric, la célébrité, toutes ces fausses splendeurs chères aux petits esprits que Sénèque en son temps décria.

Hendrix fit simplement et avec une pertinence géniale, ce que les autres ne savaient faire que dans une impertinence affichée.

Pour le dire en une phrase, Hendrix fit ce qu'il croyait devoir faire et qui lui semblait beau, aux yeux comme aux oreilles, sans accorder d'autre attention qu'à cela.

Et ceux qui, à l'époque, voulaient qu'existât une frontière bien marquée entre la culture culturelle des arts des lettres et du bon goût et la culture populaire des rockers à franges, ceux-là en furent pour leur compte. Car Hendrix n'avait aucun sens de la frontière, ce qui s'appelle aucun, je l'aurai assez dit.

Pour la bonne raison que ses veines charriaient des sangs libres et mêlés.

Car les sangs, paraît-il, n'ont aucun sens de la frontière.

Car les sangs ont un pouvoir d'osmose. Cela peut se vérifier.

Hendrix, à la différence de ces cons authentiques qui n'inscrivirent pas son nom dans le dictionnaire, si occupés à classer l'univers par lettres alphabétiques qu'ils ne surent percevoir ce que le premier ignorant venu aurait été susceptible d'entendre : une musique qui redessinait de fond en comble les contours du rock, et qui relevait véritablement de l'art, à la condition expresse que l'art ne soit ce mot à majuscule que l'on prononce en chuchotant par crainte d'en faire voler la poussière, Hendrix se contrefoutait de tous les classements et de toutes les catégories.

Comme Glenn Gould qui admirait Petula Clark,

comme Deleuze qui se passionnait pour les chansons de Cloclo,

comme Rimbaud qui trouvait une dignité poétique aux littératures démodées, aux petits livres de l'enfance et aux refrains niais,

Hendrix aimait la musique des cartoons, les jingles publicitaires, les standards des séries télévisées, les chansons sirupeuses qu'écoutait tante Pat et *Da Doo Ron Ron* chanté par The Crystals, autant que *Le Messie* de Haendel, les créations avant-gardistes de John Cage, les impros de Miles Davis et Dizzie Gillespie, le talent mélodique des Beatles, les textes de Dylan, les solos de guitare de Johnny Guitar Watson, les gospels qu'il avait entendus dans l'église de Seattle, le blues qu'il avait écouté dans les clubs enfumés de Nashville, et les percussions berbères qu'il découvrit lors d'un voyage au Maroc au mois d'août 1969.

Toutes ces musiques que, d'ordinaire, la distance et le mépris tenaient séparées comme la Terre de la Lune, il se les appropria et, les croisant amoureusement, les chamboula.

Car Hendrix, je le répète, se contrefoutait souverainement des frontières en tout genre.

Mieux, il les abattait.

Quoique sans le vouloir.

Il fit d'abord tomber cette frontière qui se dressait entre la musique si j'ose dire pure, c'est-à-dire retranchée de toute expérience humaine, c'est-à-dire qui ne parlait de rien, c'est-à-dire qui ne parlait que d'elle (ne voyez là aucun jugement moral), et une musique sale de la réalité des hommes, compromise dans la saleté du vivant, et qui faisait écho à la sale urgence des temps. Car sa musique à lui parlait d'elle-même, de ses expérimentations et de ses prospections, mais elle était aussi, et *The Star Spangled Banner* particulièrement, mais elle était aussi toute remuée par son souci du monde, par sa douleur du monde, par ses questions au monde, un monde que Hendrix voulait obstinément arracher à ses fictions, un monde où le vent mugissait, où les spectres erraient, où les bombes éventraient les forêts du Vietnam et où un inapaisable trafic étourdissait les grandes villes. Une musique inséparable, donc, absolument inséparable de l'existence des hommes vivant en 1969 aux États-Unis d'Amérique, et dont les plus jeunes faisaient don de leur personne à la patrie, comme on disait, pris qu'ils étaient dans les fureurs sanglantes de l'Histoire. Une musique destinée à la terre comme au ciel.

Mais il fit mieux encore.
Quoique sans le vouloir.
Il fit chanceler cette muraille de hautaine indifférence

et de mépris qui s'élevait depuis toujours entre la musique pour Blancs et la musique pour Noirs, entre la musique sacrée et la musique profane (que Ray Charles avait déjà commencé à marier), entre la grande musique qu'écoutait tante Pat (laquelle aimait à la folie les chansons sentimentales de Sinatra et par-dessus tout *Stranger in the Night*) et celle qui faisait grincer vulgairement les mâchoires de toutes les Madame Verdurin du monde et les amenait à s'exclamer Ah! Stockhausen, c'est d'un sinusoïdal! tant elles craignaient de faire peuple.

Il fit chanceler cette muraille qui semblait étrangement reproduire la muraille des classes et des races, et leurs infectes certitudes.

Du seul tranchant de sa guitare, il la fit chanceler, dérangeant les équilibres installés, et semant la pagaille dans le rang des préjugés musicaux que l'on croyait indéracinables.

Il réussit ainsi l'impensable: rehausser le rock à la hauteur d'un art, et de cet art faire chose populaire.

Et lorsqu'une journaliste (française) demanda, un jour, à Hendrix d'où il tirait son inspiration, il dit spontanément Du peuple. Il dit du peuple, naïvement, et sans se soucier un instant des relents populistes que ce mot trimbalait. Il dit du peuple. Son peuple. Le peuple qu'il aimait. Le peuple dont il était fait. Celui des rues insalubres du quartier noir de Seattle et des bicoques déglinguées toutes bruissantes de cris d'enfants (rejoignant ainsi, et peut-être sans le savoir, le poète Walt Whitman qui avait déclaré un siècle avant : Le génie des États-Unis est toujours chez les gens du peuple).

Tous ces gens des quartiers pauvres de son enfance, tous ces gens dits de peu (de peu de quoi ?), ces gens dont il partagerait jusqu'à la fin l'humilité, les ouvriers de chez Boeing, les dockers du port de marchandises, les chômeurs qui donnaient leur sang pour obtenir un sandwich, les sans-abri qui attendaient les distributions de l'aide sociale, les mères de famille qui mettaient au clou leurs enfants (comme sa mère l'avait fait avec lui), les désœuvrés qui traînaient leur cul dans des bars interlopes où des femmes dansaient sur les tables, les fidèles avec qui il avait chanté fiévreusement, dans les églises évangéliques, les plaies du Christ (plaies auprès desquelles les siennes, soit dit en passant, n'étaient que de la gnognote), les joueurs qui gagnaient les putes aux cartes, tous ceux qu'on appelait déjà la racaille, tous les chiens errants qu'il avait croisés lors de ses déambulations nocturnes, et toute la faune qu'il avait découverte dans les petites villes du Tennessee lors des tournées de ses débuts, en jouant dans ces clubs improbables qui poussaient comme des champignons le long des voies ferrées, près des scieries et des usines.

Ce peuple qui put s'enorgueillir, jusqu'à la fin des années 60, de posséder une culture propre. Une culture dont Pasolini annoncerait la mort, quelques années après, dans un texte de désespoir terriblement prophétique.

Ce peuple pour lequel il ressentait une amitié immense.
Ce peuple qu'il ne tint jamais pour stupide et à qui il
ne voulut jamais faire honte de ce qu'il ne savait ou ne
pouvait apprécier, à la différence de ces cuistres qui
ne retirent du plaisir que de la supériorité factice qu'ils
s'arrogent.

De là, peut-être, son choix de *The Star Spangled Banner* :
un air qui n'était en rien réservé à l'élite, un air à la
portée de tous, connu de tous, un air que tous les
enfants d'Amérique apprenaient à l'école dès leur plus
jeune âge.

Un air ancien, la chanson préférée de Buffalo Bill : grand
héros américain, grand tueur de bisons, et grand amu-
seur public, admiré de tous dans son pays pour avoir
fait du chef à cornes, le Sioux Sitting Bull, une bête de
cirque.

Le morceau le plus joué sans doute aux USA, le plus
populaire,
et le plus révéré.

L'hymne que les Américains écoutaient pieusement,
muets, tout raides, et l'œil allumé par le sentiment
exaltant d'appartenir à la plus grosse, la plus friquée et
la plus dominatrice des nations de la terre.

L'hymne de la patrie avec lequel on nous a lavé le cerveau,
lança Hendrix au public médusé de Los Angeles, en
avril 1969, car il lui arrivait parfois, par timidité, d'aller
droit aux choses. (Avait-il lu les invectives des surréalistes
contre la Mère Patrie accusée d'engendrer la chiennerie

fasciste, de se nourrir du sang de la jeunesse, et de faire des êtres humains des traîtres à leurs semblables ?)
L'Hymne pétrifié de la patrie qui était devenu à ses yeux le symbole d'une vision pétrifiée de l'art et du monde,
mais qu'il délivra de son recentrage national,
qu'il délivra de son carcan patriotique,
qu'il délivra de sa froide solennité,
de sa poussière.
L'hymne de la Bannière Étoilée qui était devenue depuis quelques années le Linceul de la patrie, tout maculé de sang,
mais qu'il arracha de son lit de mort,
qu'il ranima en soufflant sur lui les vents déchaînés de la résurrection,
qu'il fit plus violent, plus haletant, plus lyrique,
qu'il fit plus humain,
qu'il détruisit et magnifiquement reconstruisit,
et qu'il porta, par son talent, à la hauteur des Hymnes d'Orphée, le poète musicien dont le chant subjuguait les bêtes féroces et faisait se ployer le feuillage des arbres.
Il y a chez Hendrix, dans son rapport au ténébreux, dans sa connaissance de l'Enfer, quelque chose du mythique Orphée.

Et parce qu'il avait à la fois cette humilité profonde des gens du peuple et une exigence en matière de musique dont il n'abaissa jamais le niveau, parce qu'il était en même temps la modestie et l'audace faites homme, parce qu'il ancra dans la tradition nationale et dans les formes les plus anciennes de la musique noire les innovations musicales les plus avant-gardistes, parce qu'il affirma l'héritage et que, pour le garder vivant, il l'électrifia et le psychédélisa, il put occuper ce point de conjonction exceptionnel entre la culture populaire qui commençait à se défigurer en culture de masse et la haute culture destinée à l'élite.

Il y eut, ce matin du 18 août 1969 qui avait un goût de pluie, une rencontre bouleversante, le temps d'une musique, entre un homme et son temps.

Or ils ne sont pas nombreux, dans l'histoire des hommes, ceux qui connurent le bonheur, de leur vivant, de vivre le vertige d'une telle rencontre sans rien concéder d'eux-mêmes et sans flatter le goût commun.

Événement rarissime, rêve inavoué de tout artiste, cette rencontre eut lieu à Woodstock, le 18 août 1969, à 9 heures du matin, entre un rocker noir nommé Jimi Hendrix et vingt mille jeunes gens qui l'attendaient depuis trois jours, des beatniks, des marginaux, des étudiants, des travailleurs, des citadins, des gauchistes, des pacifistes, des militants de la cause noire (trop peu, aux yeux de Hendrix qui le déplora lors de sa conférence de presse), des artistes en tout genre, de simples curieux, des milliers de jeunes gens d'appartenances et d'horizons divers, que *The Star Spangled Banner*, en quelque sorte, rallia,

que *The Star Spangled Banner* rallia par la puissance de son rythme, un rythme qui par ses ruptures et ses emportements s'insurgeait contre le temps synchronisé et homogène des horloges sociales, lequel expulsait brutalement les hommes hors de leur temps intime, calibrait les saisons de leur vie et programmait leur pauvre corps,

un rythme qui perturbait les fausses permanences de l'âme, les temporalités maussadement subies, le récit lénifiant et menteur de l'histoire officielle, et cette fluidité généralisée dont parla, avec une férocité roborative, le philosophe Gilles Châtelet (que je relis en ce moment en écoutant Hendrix, car il est des lectures qui s'accordent à sa musique et d'autres pas du tout : Gilles Châtelet se combine superbement avec la musique de Hendrix, Artaud aussi, mais Proust pas du tout, Proust est incompatible avec la musique de Hendrix, pour donner un exemple concret),

un rythme qui se révoltait contre les idées mêmes de structure et d'ordre et de ponctualité, considérées alors comme les symptômes d'un rationalisme morbide, contre le style coulant des musiques mielleuses que les radios de variétés déversaient dans les cerveaux, contre les logiques à deux temps oui-non un-deux marche-ou-crève des institutions militaires & assimilées, qui obligeaient les hommes à penser et à sentir au pas, contre la bêtise binaire du rock-boum-boum, couplet-refrain, couplet-refrain, et que ça cogne que ça cogne (pour nous mieux assommer ?).

Car il faut le préciser : si le rythme impulsé par Hendrix

était, la plupart du temps, celui, binaire, du rock'n'roll, la régularité de ses pulsations était submergée, mise en pièces, arrachée, impétueusement balayée, torrentueusement emportée par la déferlante de ses riffs.

Une avalanche. Un séisme. Qui vous envoyait au diable. La tête en feu. Vers les abîmes.

Puis, brusquement, cassure,

puisque tout, à tout instant, pouvait casser.

Alors il arriva ceci,

c'est que le rythme de *The Star Spangled Banner*, colérique, heurté, irrégulier comme la vie, mais aussi puissant que le ressac de la mer, mit paradoxalement la foule à l'unisson.

La foule s'ouvrit et se ferma, s'ouvrit et se ferma, s'ouvrit et se ferma, s'ouvrit et se ferma, imperceptiblement, comme un seul cœur, dans un bonheur purement rythmique, cette foule à laquelle Hendrix, en donnant voix à une commune exécration de la guerre, avait déjà donné une âme commune.

Car Hendrix, qui avait cette humanité, cette gravité, cette intensité des bluesmen, radicalement absentes chez les autres rockers de son temps, Hendrix était un homme généreux.

Les épreuves qu'il avait subies, loin de le blaser ou l'endurcir, l'avaient rendu infiniment sensible au sort des autres. Et la farouche indépendance qui commandait son cœur ne l'avait nullement empêché d'éprouver une profonde empathie pour ces hommes jetés dans des boucheries guerrières dont ils ne voulaient pas, comme avant lui Goya avec son *Tres de mayo*, et Picasso avec son *Guernica*, *associés en détresse*.

En jouant *The Star Spangled Banner*, ce matin du 18 août 1969 à Woodstock, Hendrix fit renaître le sentiment d'une fraternité dont les hommes étaient devenus pauvres, et prêta vie à cette chose si rare aujourd'hui qu'on appelle, j'ose à peine l'écrire, une communauté, une communauté formée, là, dans l'instant, une communauté précaire, heureusement précaire, non pas une communauté de malheur comme il s'en forme chaque jour (on dit que le malheur rapproche et cette idée me fait horreur), non pas une communauté complaisamment apitoyée ou romantiquement doloriste, ni une communauté sous narcose, je veux dire religieuse, non, non, non, mais une communauté de force et de colère mêlées, une communauté de solitaires, chacun plongé entièrement dans sa musique, chacun y trouvant domicile, mais au rythme de tous.

La musique d'un seul entra en chacun, et en chacun se ramifia, et en chacun elle fut comme une vague qui rejoignait la mer commune. Voici qu'à nouveau je m'exalte et prends, malgré moi, ce ton pompeux et emphatique qui chez les autres m'insupporte. Qu'est-ce donc qui me pousse à ce ton? Est-ce mon désir excessif de transmettre ce qui me semble relever du miracle et que je ne parviens pas à dire autrement que dans une prose exaltée? Est-ce mon aveuglement amoureux devant la musique de Hendrix? Ou le désir de me convaincre que cette communauté, dont je loue ici le surgissement, ne fut pas qu'illusoire?

Ce que je crus voir, donc, ou ce que je voulus voir dans *The Star Spangled Banner*, ce matin du 18 août 1969 à Woodstock (on dit que la grandeur d'une œuvre se mesure au nombre inépuisable d'interprétations qu'elle suscite), ce que je voulus voir fut cet avènement exceptionnel après lequel nous courons tous, l'avènement de cette vieille utopie dont nous causons avec des airs éminemment philosophiques: *Être soi-même et tous*.

L'expérience si intime que semblait vivre Hendrix, les yeux clos et comme immergé en lui-même, j'eus le sentiment que chacun la reformait en son secret, que chacun la recommençait en son cœur, bref, que chacun y retrouvait sa propre voix, mais accordée on ne sait comment à celle de tous les autres dans une commune ferveur.

C'est ainsi que *The Star Spangled Banner* devint à la fois le Requiem d'un monde agonisant qui enterrait ses dernières chimères et le Moderne Manifeste de toute une génération.

Le Manifeste des Temps Nouveaux.

Le Manifeste des Temps Nouveaux pour le meilleur et pour le pire, des Temps Nouveaux qui se levaient dans un décor de guerre, comme si la guerre constituait désormais l'envers nécessaire de la démocratie, comme si la guerre était consubstantielle à la démocratie, à la condition toutefois qu'elle se passât loin d'elle.

Le Manifeste des Temps Nouveaux et de leurs inévitables changements que Hendrix annonçait dans une sorte de prescience, et qui allaient un jour proche l'écraser, mais il ne le savait pas encore.

Et même ceux qui étaient venus à Woodstock pour se distraire (d'eux-mêmes, aurait dit Pascal), pour s'éclater (comme on le dirait aujourd'hui), même ceux qui se foutaient éperdument de participer à l'expérience mystico-psychédélique que les organisateurs voulaient à tout prix leur fourguer, autant qu'ils se foutaient des dernières recherches avant-gardistes de la musique contemporaine, même ceux qui étaient venus à Woodstock tout simplement pour se payer du bon temps et rien de plus se trouvèrent soudain embarqués.

Ils se trouvèrent embarqués, et rendus, en quelque sorte, plus intelligents.

Car la musique de *The Star Spangled Banner*, les exégètes de Hendrix ne l'ont pas assez dit et ça m'énerve, cette musique était intelligence,
provocation à l'intelligence,
aiguisement de l'intelligence.

Cette musique détruisait l'illusion, cette empêcheuse de penser, détruisait l'illusion de la paix et de l'harmonie que les puissants qui gouvernaient s'acharnaient à répandre, opérant sur l'esprit, par ses déflagrations, cette commotion salutaire sans quoi l'intelligence, semble-t-il, somnole et stagne.

Les laudateurs de Hendrix sur ce point se montrèrent souvent d'une discrétion trop grande. Comme si la charge émotionnelle tellement forte de *The Star Spangled Banner* (le dernier mouvement de la *Neuvième Symphonie* de Beethoven mobilise une densité d'émotions comparable), comme si sa charge émotionnelle leur avait en quelque sorte masqué qu'il était aussi, et tout autant, un moteur à propulsion de la pensée.

The Star Spangled Banner ou la fusion rêvée de l'émotion et de la pensée.

Durant cette année 69 qui le vit, à Woodstock, jouer le plus intelligent et le plus bouleversant des hymnes américains, tout me porte à croire que Hendrix fut en proie à un désenchantement auquel se mêlait une infinie tristesse. Le printemps fut sombre.

Les événements malheureux s'enchaînèrent sans démordre.

Il y eut d'abord, initiant la série, son interpellation à Toronto.

Les douanes de l'aéroport ayant découvert dans ses bagages des sachets d'héroïne, Hendrix fut mis aux arrêts et libéré, presque aussitôt, contre une caution de 10 000 dollars. Hendrix se défendit avec vigueur d'être héroïnomane et son entourage évoqua la thèse du complot. Mais il dut vivre pendant des mois dans l'attente anxieuse d'un verdict. Et craindre pendant des mois d'être condamné à une peine d'emprisonnement, avec tous les désastres qui risquaient de s'ensuivre. En sursis.

En juillet, il apprit la mort de Brian Jones, noyé dans sa piscine. La Légende ne dit rien de la réaction qu'il eut à la nouvelle de cette mort. Mais il n'est pas difficile d'imaginer le coup au cœur qu'elle lui porta. Brian Jones était pour lui l'ami des jours heureux. Ensemble ils s'étaient réjouis de l'enthousiasme qu'avait suscité *Are You Experienced*. Ensemble ils avaient écouté le vieux blues du delta qui chantait l'ancienne et toujours vivante malédiction. Et ils n'avaient pas eu besoin de mots pour comprendre en quoi la mélancolie douce-amère de cette musique leur parlait si justement et les réunissait par-delà leurs différences. Je pense que la mort de Brian Jones ne fit qu'ajouter une pierre dans le fond de son cœur, et que le monde devint pour lui encore un peu plus vide.

Comme si tout ne pouvait aller que de mal en pis, l'ambiance au sein de son groupe se faisait de plus en plus tendue. Et Redding, qui ne supportait plus que Hendrix lui en remontrât, ne cachait plus son intention de jouer avec d'autres.

La cadence des dernières tournées avait été exténuante. À Paris, à Londres, à Toronto, à New York, à Los Angeles, à Berlin, à Rome, à Francfort, à Stuttgart, à Stockholm, à Copenhague, à Vienne, Hendrix, chaque matin, s'était couché éreinté, au point de ne pas avoir la force de se dévêtir, se réveillant plus fatigué encore que la veille, aussi misérable qu'avant, pris comme avant dans la même détresse, et peut-être même davantage pour s'en être, un moment, écarté.

Et pour couronner le tout, Chas Chandler avait abandonné le navire, exaspéré, dit-on, par le perfectionnisme de Hendrix qu'il jugeait maladif.

Désormais, Hendrix était entre les mains brutales du seul Jeffery qui n'avait qu'une idée : négocier sa rock star au meilleur prix et accroître ses bénefs au maximum (bénefs dont la gestion qu'il en faisait restait des plus opaques, cela dit en passant).
Et Hendrix avait trop de lucidité pour n'avoir pas une conscience douloureuse de l'abîme qui séparait ses hautes ambitions musicales et les exigences commerciales de l'industrie du divertissement qui n'en était qu'à ses débuts et dont il était en train de devenir, par les soins de Jeffery, l'un des produits les plus rentables. Si peu enclin qu'il fût à s'occuper d'économie, il ne pouvait que le constater.
Il était à vendre.
Jeffery disposait de lui pour le vendre où et quand bon lui semblait. Il avait d'ailleurs réussi à le faire acheter par les organisateurs de Woodstock au prix de 18 000 dollars, de loin le plus élevé.
À vendre.

Il n'aurait jamais cru cela possible, en 1969, au pays de la démocratie et des bonnes soupes Campbell's. Il ne lui serait jamais venu à l'idée qu'un homme, en 1969, au pays de la démocratie et des bonnes soupes Campbell's, puisse légitimement se prévaloir de son pouvoir pour vampiriser le talent d'un autre et le vendre aux fins de s'enrichir lui-même.

Mais les faits étaient là, incontournables : les contrats qu'il avait signés le liaient à Jeffery plus étroitement qu'une chaîne. Et ce dernier escomptait un profit d'un million de dollars, pas moins, sur la prochaine tournée américaine qu'il avait programmée.

Il avait prévenu les trois musiciens : c'était pas le moment de faire les cons ! Il fallait qu'il règle la facture de son jet privé, ha ! ha ! ha ! Pour l'instant, redevenons sérieux, pour l'instant, il était occupé à se taper les comptes, ça lui prenait la tête, et à déduire des recettes tout le pognon que les trois gaspillaient en sorties, fringues, putes, whisky, etc. etc. (regard lourd d'allusions en prononçant etc. etc.). Ce qui faisait un gros paquet !

Contraint de transiger avec son rêve,
voyant son talent vendu comme on vendait, comme on commençait alors à vendre toute chose,
forcé de se soumettre à un porc, quand il ne rêvait que d'obéir à la grâce de la musique et à ses dieux,
ne sachant comment stopper la machine vorace du show-biz qui lui bouffait son reste d'âme,

Hendrix, après en avoir longtemps ressenti de l'exaspération, puis une latente colère, n'éprouvait plus désormais qu'une tristesse, qu'une impuissante tristesse.
Alors, pour atténuer cette tristesse, il se shootait et il buvait.

Mais plus il se défonçait et plus il buvait, plus sa tristesse empirait, et plus il était enclin à se poser des questions tristes.

Et si la révolution sexuelle, se disait-il, si les félicités promises par la dope, si les spiritualités bouddhiques et leurs succédanés, si les délires écologiques à base de courgettes bio, peyotl pur, moutons blancs dans les prés et couchers de soleil orange d'un goût affreusement kitsch ne servaient au fond qu'à habiller le vide ?
Si les jardins d'Éden n'étaient que de petits potagers pour de petits propriétaires, dans lesquels on s'entre-déchirait aussi mesquinement que chez papa-maman ?
Si les douches prises à l'eau de pluie ne s'avéraient pas plus purifiantes que les Bubble bath ?
Si l'amour n'était pas libre ?
Si se camer ne coïncidait nullement avec le geste poéticopoliticométaphysique vanté par l'insupportable et pontifiant Allen Ginsberg, lequel avait recyclé le mythe de l'intériorité inatteignable, vieille lune philosophique, et de son accès possible par les voies du LSD ?

Si se camer n'était, somme toute, qu'une chose sordide et qui vous changeait en loque, en moins de deux ?

Si le hasch et l'alcool n'ouvraient aucunement les clés du paradis, pour la simple et bonne raison qu'il n'y avait pas, bordel de Dieu, de paradis ?

Et si, plus triste encore, et si les hurlements contre la guerre n'avaient servi à rien ?

Si le pacifisme consensuel n'était qu'une posture ?

Si tous les slogans scandés par lui et quelques autres pour mettre un terme à cette guerre n'étaient qu'incantations vides, mots inutiles jusqu'au dégoût puisque d'une incidence nulle sur les décisions des politiques, eux-mêmes assujettis à l'Armée et à la Finance ?

S'ils étaient paroles aussi vaines que les spéculations bavardes sur la mixité culturelle qui avaient, alors, commencé de fleurir, depuis que, dans le roman de Kerouac, *Les Souterrains*, le personnage masculin, Leo Percepied, un Blanc 100 % blanc, avait eu l'idée aberrante de baiser et, pis encore, d'aimer d'amour une Noire nommée Mardou, au cul élégiaque et au blanc des yeux fantastiquement blanc ?

Hendrix, qui avait espéré en ces choses, n'en voyait désormais que la désolante, l'inexcusable naïveté.

Lui qui avait été, comme tous ceux de sa génération, si plein d'attente d'une vie plus belle, il se moquait désormais de sa candeur et se trouvait stupide d'avoir, pendant un temps, voulu étreindre ces fumées.

Ses convictions lentement s'effritaient.

Et il perdait la foi en tout ce qu'il avait cru grand.

Que pouvait la musique, que pouvait un livre devant un char d'assaut MBT de 50 tonnes?

Protester contre la guerre lui apparaissait désormais aussi désespérément inutile que de vouloir arrêter la Terre de tourner. Et bien qu'il fût convaincu que renoncer à ce combat revenait à se trahir lui-même et à trahir une certaine idée qu'il se faisait de la conscience humaine, il ne pouvait s'empêcher de constater que les GI continuaient, en cette année 1969, de se faire tuer, par milliers.

Peut-être Hendrix était-il triste aussi du reproche que lui faisaient certains Noirs d'être vendu au show-biz blanc, d'avoir pour manager un salaud de raciste blanc qui voulait l'éloigner de la communauté noire, et d'aspirer lui-même au white power en se peignant la gueule au blanc d'Espagne et sa putain de musique avec.

Peut-être était-il triste que ces Noirs, qui l'accusaient de faire le clown pour distraire les Blancs, préférassent instruire son procès politique plutôt que d'entendre ce que sa musique comportait de réellement nègre.

Il faut signaler que les rockers, à l'époque, étaient très convoités des groupes extrémistes. *Nous sommes tous entièrement voués à la révolution. Mais nous ne portons pas encore de flingues. Parce que nous disposons d'armes bien plus puissantes grâce au rock'n'roll: l'accès direct à la conscience de milliers d'adolescents en est une, et leur foi en nous en est une autre encore.* Voilà ce qu'écrivait, à l'époque, le poète John Sinclair qui avait fondé le White Panther Party, parti aussi radical et revendicateur que le Black Panther Party, dont il était, du reste, l'exacte réplique.

Les rockers, à l'époque, disais-je, étaient très convoités par les groupes extrémistes qui voyaient en eux les édificateurs possibles d'une jeunesse sans repères. Et Hendrix était encore plus convoité que les autres.

Il avait été approché récemment par les Black Panthers, lesquels, mesurant soudain son impact, l'avaient aimablement poussé à s'engager dans leur combat afin de pouvoir l'exhiber dans les théâtres de l'Histoire.

Mais Hendrix, qui nourrissait une réticence profonde à l'égard de tout embrigadement militant, et ce, quelle que fût la noblesse des luttes engagées, sut garder ses distances avec les Black Panthers et préserver farouchement son indépendance. Et bien qu'il éprouvât, je suppose, une forme de culpabilité et, sans doute, une forme de honte, à défendre sa liberté intérieure contre un engagement auprès des siens, il refusa de donner aux Panthers la caution publique qu'ils attendaient, quitte à subir leur réprobation et à être déclaré traître à leur cause.

Position très difficile, très.

Mais que Hendrix sut tenir.

Car il voulait être libre. Libre d'être lui-même. Libre de chapelles politiques, et libre, de surcroît, de tout lien amoureux.

Jusqu'à la fin, il l'affirma.

Jusqu'à la fin, il fit flotter très haut *sa bannière de freak* libre de servitude.

Jusqu'à la fin, il exprima sa répugnance devant ce qu'il appelait les troupeaux, ceux qui cassaient du nègre autant que ceux qui cassaient du Blanc, racisme contre racisme.

Il fut, jusqu'à la fin, réfractaire à toute allégeance, et chanta son désir de n'être enfermé par rien, ni enraciné quelque part, sinon peut-être en Atlantide, ce pays secret et hors du monde où il séjournait, disait-il, quelquefois.

Quant aux discours des Blancs gentiment progressistes dont les parents étaient dentistes ou pharmaciens et qui lui expliquaient, car ils avaient de la culture, que l'oppression blanche sur les nègres avait donné cette chose si merveilleuse, si envoûtante et caetera et caetera, ils l'exaspéraient pareillement.

Lui, les Noirs qu'il avait connus dans le Seattle de son enfance n'étaient pas doués de cette chose si merveilleuse, si envoûtante et caetera et caetera, ils étaient fauchés pour la plupart, affamés pour la plupart, malheureux pour la plupart, désœuvrés pour la plupart, et pour la plupart morts de peur à l'idée de se faire coffrer par des Blancs pour des délits qu'ils n'avaient pas commis. Pour ce qui était de l'action collective et du partage exaltant d'un même combat, il ne trouvait là, évidemment, rien à redire. Comme il ne trouvait rien à redire aux catéchismes de l'émancipation qui avaient le don formidable de rédimer les consciences. Mais il éprouvait le sentiment confus qu'y adhérer, sauf cas de force majeure, revenait à se perdre.

Lui ne voulait à aucun prix se laisser enfermer dans une seule cause, fût-elle la plus généreuse.

Lui ne voulait à aucun prix se laisser enfermer dans sa condition de Noir.

Il était un homme avant d'être un Noir (il essayait, en tout cas, de s'en convaincre). Un homme égal en détresse aux autres hommes. Un homme égal en solitude aux autres hommes. Et qui se colletait à un engagement tout autre que celui que les Panthers voulaient lui extorquer : celui, obscur, secret, déraisonnable, qu'il avait pris depuis longtemps avec la Musique, celui qu'il avait signé au bas d'un contrat que le destin lui avait confié d'incompréhensible manière.

Et aujourd'hui, il défendait sa liberté avec d'autant plus de vigueur qu'il mesurait le tribut à payer de sa sujétion à l'immonde Jeffery, et le douloureux écartèlement dans lequel elle le faisait vivre.

Mais comme sa conscience au sujet de la question noire demeurait, malgré tout, intranquille, comme il était tout aussi épris de liberté que bouleversé par l'affreuse injustice faite aux siens, comme il en éprouvait une tristesse immense, il tint à exprimer plusieurs fois sa solidarité à la communauté noire en donnant des concerts gratuits.

La Légende raconte qu'un jour, lui, le calme, le réservé, le patient, le mec cool, s'enflamma de colère en apprenant que l'immonde Jeffery avait programmé son passage à la télévision, alors qu'il s'était engagé, de son côté, à jouer bénévolement pour un groupe d'activistes black.

J'ai écrit que Hendrix, à Woodstock, ce matin du 18 août 1969 où il joua inoubliablement *The Star Spangled Banner*, avait quelques raisons d'être triste.
Peut-être était-il simplement triste de ce vieux malheur d'être, inhérent aux hommes et dont la mort venait signer la délivrance, il l'écrivit de mille façons.
Je crois que je vais tourner le bouton et m'éteindre. J'ai rien à faire à traîner ici.
Impression d'être rien.
Super-rien, comme il le dira à un animateur télé qui lui parlait de super-stars.
Sentiment de nullité d'une vie qui ne devenait véritablement vie que dans le vertige éphémère de la musique.

Peut-être était-il triste pour cette raison qui, lorsqu'elle m'apparut, balaya soudain toutes les autres : c'est qu'il existait pour les Français, c'est qu'il existait pour les Allemands, c'est qu'il existait pour les Anglais, les Italiens, les Suédois, les Danois, les Canadiens, les Américains, c'est qu'il existait pour le monde entier, et qu'il n'existait pas pour sa mère.
Alors à quoi rimait d'avoir du succès ?

À quoi cela rimait-il, si sa mère n'en était pas le témoin ébloui ?

Peut-être Hendrix était-il triste, enfin, parce que, tout bonnement, les temps étaient tristes.

Beaucoup d'écrivains et d'essayistes écrivirent sur cette tristesse de la fin des sixties qui fut à l'exacte mesure de l'espérance immense qui l'avait précédée.

On vit lentement s'éteindre l'agitation qui avait soulevé l'Europe à coups de pavés.

On vit se faner, en un été, l'esprit de révolte.

On vit s'accroître et s'afficher le cynisme marchand.

Il y eut des dépressions, des morts à vingt ans, des vies fracassées.

Il y eut des questionnements amers et une longue suite de désillusions.

Tout le contexte politique social et culturel de cette année 1969 invitait, assurément, à la tristesse.

Le temps me semble venu d'en parler.

Voici donc le contexte militaro-politico-économique dans lequel se situe le festival de Woodstock lorsque Hendrix vient s'y produire, le 18 août 1969, à 8 heures du matin.

Il est important, me semble-t-il, de le connaître, si l'on veut éclairer le sens, la réception et la portée de *The Star Spangled Banner*, et comprendre l'état d'esprit dans lequel se trouve Hendrix lorsqu'il le joue, et le mien, le nôtre, à son écoute.

1969, l'Amérique est puissante et fait sa loi dans le monde. Le magazine *Life* publie les portraits des 242 GI tués au Vietnam pendant la première semaine de juin. Ça jette un froid. J'ai dix-sept ans. Je fume mes premières cigarettes. Elles me donnent le vertige. En France, Frank Alamo est l'idole du jour. Je le hais.

Le peuple américain commence à s'inquiéter d'une guerre ruineuse autant qu'interminable. 9 413 soldats sont tués au Vietnam en cette seule année. La foire aux atrocités n'est pas une fiction. Dans un discours à la nation, Nixon, avec un frémissement de dégoût, accuse de dépravation morale les jeunes gens qui manifestent contre la croisade au Vietnam. Ils font, dit-il, le jeu de Saigon, et ne méritent pas le nom d'Américains. Entre deux forces qui s'opposent, c'est souvent la pire qui l'emporte puisqu'elle ne regarde pas aux moyens qu'elle emploie. Nixon l'emporte évidemment et fait engager des poursuites contre les meneurs supposés, reconnaissables à l'air égaré que leur donne la drogue et à leur discours contre-productif. La chasse aux hippies est lancée. John Lennon en fera les frais.

1969, l'Amérique triomphe. Le 20 juillet, les trois astronautes Neil Armstrong, Edwin Aldrin et Michael Collins sont les premiers hommes à marcher sur la Lune. Devant un tel exploit, le pays se rengorge, tandis qu'une part de la jeunesse gronde contre le peu de prix que vaut une vie aux yeux des dirigeants. On déchire les livrets militaires. On déserte les facs. On dessine sur les drapeaux des dollars à la place des étoiles. On révère Dylan qui chante la révolte. On ne prononce plus le nom de Nixon sans l'assortir aussitôt du qualificatif de salopard, et le poète Ferlinghetti va jusqu'à souhaiter ouvertement sa mort. On ne veut pas crever dans la jungle du Vietnam. On ne veut pas être abîmé pour toujours par les abominations de la guerre. D'ailleurs on ne veut rien de moins qu'abolir tout cela qui suborne. Moi je m'insurge contre un père qui adhère encore au communisme. Je crois même le détester. Nos affrontements sont fréquents où je l'accuse d'accepter une politique infâme. L'idée de militer comme lui dans un parti me fait horreur, et cette horreur perdure.

1969, la chaise électrique, mise au point par Harold Brown, fait encore partie du mobilier national. Les industries de l'armement connaissent un essor formidable qui profite au pays. Le budget militaire voté par le Pentagone dépasse les 50 milliards de dollars. En voici le détail : 116 avions-cargos C5A : 4 milliards et demi ; infrastructure pour antimissiles : 5 milliards ; 34 sous-marins nucléaires silencieux : 12 milliards ; 168 jets F4 : 7 milliards et demi ; 3 000 chars d'assaut MBT de 50 tonnes : 2 milliards ; missiles nucléaires Minuteman III et Poséidon : 7 milliards ; 18 000 hélicoptères de transport d'artillerie et de véhicules : 10 milliards ; croiseurs DX, DXG et DXGN : 3 milliards ; missiles à cent vingt kilomètres de rayon d'action : 1 milliard ; 3 porte-avions nucléaires : 2 milliards ; 5 navires d'assaut amphibies LHA : 1 milliard. Le 9 août, Charles Manson, le gourou d'une secte raciste et apocalyptique, commandite le meurtre de Sharon Tate, et le lendemain celui de Leno et de Rosemary LaBianca.

Les soldats envoyés au Vietnam sont en grande majorité nègres et hispaniques. Les jeunes Blancs des facultés, bien qu'évitant la conscription grâce aux sursis universitaires, proclament haut et fort leur opposition à la guerre. Mais tous ces opposants ne forment pas un front uni. Les modérés réclament seulement un retrait immédiat des troupes, les radicaux, une révolution, et cette division profite au Pentagone. Celui-ci considère que la grande Amérique ne peut aucunement faillir devant un pays minuscule, et préfère poursuivre une guerre de désastre plutôt que de perdre la face et d'avouer son erreur. Au mois de mars, Nixon programme en secret d'écraser le Cambodge. Il s'agit de détruire ce qu'il croit être le refuge du Front national de libération du Vietnam. Des milliers de Cambodgiens sont tués. Le 9 mai, le *New York Times* divulgue le secret. Les émeutes étudiantes contre la guerre font, pour la première fois, quatre morts sur le campus de Kent State University, dans l'Ohio. Au cours des heures qui suivent, un million et demi d'étudiants se mettent en grève. Le 15 octobre, ils seront deux millions pour le Vietnam Moratorium Day.

L'Amérique est soucieuse de son ordre social et interdit aux nègres de s'asseoir dans les snacks. Le leader noir Rap Brown lance un appel vibrant à la révolution armée. Les ghettos de Harlem s'enflamment comme torches. Les Black Panthers exhortent à l'usage des armes et au crachat lancé sur la gueule des Blancs. La presse populaire établit l'équation nègre = jazz = marijuana. Dans un film de Stanley Kramer, *Devine qui vient dîner*, une jeune pimbêche présente à ses parents son fiancé tout noir. Mais pas de panique! Car le Noir est un prince et habite la Suisse. Ouf! Nous voilà soulagés. Le 4 décembre, la police de Chicago assassine des militants Black Panthers dans leur appartement. Frank Zappa enregistre *Uncle Meat.* John Cage compose *Cheap Imitation.* À Toulouse où j'habite, les étudiants défilent au cri de US Go Home. Je le crie moi aussi, malgré mes préventions contre le régime de Hanoi. Je crie contre un combat que je trouve inégal. Ma licence de lettres achevée, je m'inscris en faculté de médecine. L'ambiance y est sinistre. Je l'explique sommairement par le fait qu'aucun des étudiants ne lit de littérature.

1969, l'Amérique est prospère. Les jeunes Blancs de la middle class découvrent en même temps les joies de l'abondance et l'asservissement que l'abondance induit. Une partie d'entre eux qu'on appelle hippies récusent d'un seul bloc l'obésité marchande, le conformisme bourgeois, les horreurs de la guerre, la discrimination des Noirs, le puritanisme sexuel, l'effet corrupteur de l'argent, l'ostracisme dans lequel sont tenus les Indiens, ai-je oublié quelque chose? Ils veulent que leur prochain ne tue pas leur prochain. Ils veulent la liberté, l'amour obligatoire et la fin de l'injustice. Ils veulent la douceur, la bonté, la pitié et le vaste pardon. Ils veulent opposer au rationalisme ambiant le vaudou, la magie, l'occultisme et les cultes chamaniques. Ils prêtent aux Indiens, dont ils ignorent tout, un savoir primitif qu'ils rêvent d'acquérir. Mais lorsqu'ils organisent un festival sur la terre des Hopi, le malentendu est total. Les Hopi sont choqués de voir les hippies copuler en public. Et les hippies choqués que les Hopi soient choqués. Le courant ne passe pas.

Les hippies sont tendance. Woodstock sera leur lieu. Woodstock circonscrira un espace de pureté en un monde homicide. On y chantera l'amour et la paix. On y écoutera la musique des jeunes qui s'appelle le rock et sur laquelle les managers les plus avertis commencent à investir. Car le rock est en vogue : contrepoison parfait aux musiques au sirop, aux polices mentales, à la télé inepte, à la famille, à l'école, à la religion, à l'armée et à toutes les entreprises de dressage. Au mois de juillet, Elvis Presley se produit en concert à Las Vegas. Il a trente-quatre ans et n'est déjà que l'ombre de lui-même. À Londres comme à New York, les producteurs se mettent à spéculer sur cette musique qui rapporte et qui bientôt sera une industrie prospère. L'ultralibéralisme n'en est qu'à ses débuts mais il se prépare au triomphe avec beaucoup de soin.

Le mouvement des hippies se propage avec la bénédiction du show-biz. Woodstock les unira le temps d'un grand week-end. On s'y dira rebelle, on s'y défoncera, puis on retournera chez papa et maman, des fleurs fanées dans les cheveux et des morpions dans la toison pubienne. Acid for All : de la drogue pour tous, tel est le slogan que lance le poète Allen Ginsberg. Toutes sortes de drogues, lesquelles sont censées révéler le secret de notre être et l'envers invisible des choses. Un imbécile nommé Julian Beck déclare : Si on peut amener les gens à prendre de la drogue, c'est qu'ils sont prêts pour la révolution ! Forte de cet argument, je dérobe dans la clinique où je travaille trois boîtes d'un médicament anti-parkinsonien auquel on attribue, ingéré à fortes doses, des vertus hallucinogènes. Avec trois de mes amies, nous en avalons une plaquette. Il y a dans ma chambre, en guise de portemanteau, un de ces mannequins pour couturière comme on les faisait autrefois. J'y reconnais ma mère. Nous nous parlons toute la nuit. Elle a un air sévère et bon. Des années après, cette vision hallucinée de ma mère perdure. Je sais que sa bonté m'autorise à écrire, des horreurs quelquefois, et que sa sévérité, d'une certaine manière, guinde ma prose.

En France on se remet des manifestations monstres qui ont secoué les villes au mois de mai de l'année précédente. On craignait le chaos, ce fut une récré. Nos rêves sont soldés. L'espoir qu'une révolution triomphe des contraintes avorte en quelques mois. Les apeurés coalisés, ça fait du nombre, élisent Pompidou. Je lis avec passion le *Traité de savoir-vivre* de Raoul Vaneigem paru en 67. Mon ami lit *Blues People* de LeRoi Jones sorti en 68. William Burroughs publie *The Wild Boys* en attendant que les lois sur l'obscénité aux USA lèvent l'interdiction de *Naked Lunch*. Le nom de Jimi Hendrix commence à circuler. Hendrix a fait, en 66, la première partie de Johnny Hallyday et a participé aux émissions *Tilt Magazine*, *Dim Dam Dom* et *Discorama*. On dit que sa musique déchire. On dit qu'elle déménage. On dit que Hendrix laisse derrière lui comme un parfum noir et soufré.

J'écoute *The Star Spangled Banner* pour la première fois au mois de septembre 1972, chez mon fiancé du moment qui se prénomme Jacques.
J'ai vingt ans.
Je suis secouée.
Je crois entendre, derrière la clameur insensée de *The Star Spangled Banner*, je ne sais quelle détresse intime.
Mais je suis loin, alors, d'en imaginer l'ampleur.

Hendrix, au moment où il joua *The Star Spangled Banner* à Woodstock, le 18 août 1969, à 9 heures du matin, traversait, je crois, la crise la plus profonde de son existence. En *fils de la route* comme il se désignait, il avait aimé, lors des premières tournées, la vie vagabonde accélérée jusqu'au vertige. Pas le temps d'invoquer les souvenirs qui plombent. Ni de ruminer les chagrins qui s'agrippent. Ni d'être poursuivi par le visage de sa mère, posé comme en surimpression sur la vitre de la bagnole. Ni de penser aux saloperies faites à ses frères noirs (on disait frères en ce temps-là). Ni de penser à sa vieille grand-mère Nora qui mourrait un jour. Ni à rien de rien.

Il avait adoré découvrir dans les grandes capitales les clubs grouillants de monde et leur ambiance surchauffée où il pouvait se défoncer tout à loisir (à Londres, le club de John Hopkins et Joe Boyd s'appelait l'UFO : Unlimited Freak Out, c'est-à-dire Défonce Illimitée), les nuits entières à jamer après les concerts et le plaisir intense pris à ces cessions dont il aurait aimé qu'elles durassent toute une vie (la Légende dit qu'à Malibu, après le festival de Monterey, il joua sous acide dans la maison de Stephen Stills, vingt-quatre heures d'affilée, avec Buddy Miles et Hugh Masekela).

Mais il eut bientôt le sentiment d'être en quelque sorte désorbité, déraciné.
Sans lieu.
Et sa vie de gypsy, sa vie de fugitif, lui devint rapidement pénible.
Les départs qu'il fallait recommencer chaque jour, les amitiés interrompues dès qu'ébauchées, les avions qui le jetaient, désorienté, sur des sols étrangers, les villes à peine entrevues et qui se confondaient les unes avec les autres, les valises aussitôt faites que défaites, les nuits passées dans des chambres toutes identiques et où personne ne l'attendait, le lit immense où il se couchait aux heures grises, encore vêtu de sa tenue de scène, exténué, et ruisselant de sueur, les heures interminables d'attente avant les concerts, la patience fatale qu'il finit par y apprendre, les loges d'artistes couvertes de miroirs où il lisait sa lassitude, leur odeur de tabac froid qui lui soulevait le cœur, les séances de répétitions où il ne faisait, à son grand dam, que se répéter, la susceptibilité des techniciens de plateau qu'il fallait ménager, l'accumulation des nuits blanches, l'insomnie infernale qui le privait de (mais de quoi nous prive

donc l'insomnie qui nous est si précieux?), le mal aux cheveux, le mal aux os, le cerveau en bouillie, les crabes dans le ventre, le sentiment d'une déréliction totale, et le désespoir d'être prisonnier d'un système dont il savait désormais qu'il refermerait sur lui, tôt ou tard, ses mâchoires.

Il se disait parfois la partie est perdue.

Il se disait je n'y survivrai pas. Je n'y survivrai pas.

Il se disait je vais en crever.

Alors il prenait de l'acide.

À doses monstrueuses, dirent certains.

Qu'il dissolvait dans du whisky.

Et l'acide tenait ses promesses, bien au-delà de ce qu'il avait espéré.

Au début, il avait cherché, dans l'usage de l'acide, à se soustraire à la brutalité du monde, à s'écarter des règles si violentes qui régissent le show-biz. Mais l'acide avait fait mieux. L'acide l'avait rendu étranger à ce monde, un peu comme le sont, j'imagine, les sourds.

Il avait espéré se délivrer, grâce à l'acide, du souci d'exister. L'acide avait outrepassé ce but. Il l'avait délivré de lui-même.

Il avait voulu ruiner, grâce à l'acide, une vision trop obtuse et trop matérielle des choses. C'est lui-même à présent que l'acide ruinait.

Pour reprendre une image sienne, l'acide lui avait permis de s'évader sur un vaisseau spatial dans des espaces inconnus. Mais le vaisseau, aujourd'hui, ne joignait plus la Terre. Il avait souhaité que ce vaisseau l'amenât de l'autre côté. À présent, il y était.

La dope avait été son bienfait. Elle devenait sa perte.

La dope se vengeait. Tôt ou tard la dope se venge.

Rien que de banal dans tout cela.

Hendrix s'abîma chaque jour davantage.

Acide + alcool + coke + somnifères.

Il savait parfaitement qu'il abusait.

Qu'il s'approchait d'une zone à haut risque.

Mais il se laissa glisser.

Il se laissa glisser vers le pire.

Comme si rien d'autre n'était possible.

Comme si, devant la fêlure de son être, il lui fallait aller jusqu'à son entière destruction.

Hendrix se dopa parce que tout lui semblait perdu, et il se dopa pour tout perdre.

Il se dopa pour conjurer la mort, et il se dopa pour mourir.

Cercle infernal.

Il avait parfois le sentiment de vivre les moments les plus éprouvants de sa vie. Mais ces moments n'étaient sans doute que l'écho aggravé des blessures d'enfance, il lui arrivait de se le dire. Il lui arrivait de se dire que son âme, depuis l'enfance, était fêlée. Ou plus exactement, il se disait qu'il souffrait à la fois des coups que son âme fêlée recevait du dehors (et surtout de l'immonde Jeffery), et des coups que son âme fêlée recevait du dedans depuis qu'il était né.

Certains jours, sa fêlure intime et la fêlure du monde se confondaient au point qu'il ne savait les distinguer. Il souffrait du monde fêlé et il souffrait de lui, indiscernablement. Il souffrait d'autant plus du monde fêlé qu'il souffrait de son âme fêlée. Et réciproquement.

Mais l'incroyable était que la musique lui demeurait. On se demande comment, la musique lui demeurait. Ce phénomène relève du pur mystère. Et c'est peut-être l'une des choses que l'on pourrait retenir de cette histoire. Retenir que Hendrix continua de jouer de la musique en dépit de ses propres blessures, en dépit de la brutalité du show-biz, en dépit des arrière-pensées de Jeffery, en dépit des ravages de l'acide et en dépit de tout.

Retenir que son désir de musique l'emporta, inexplicablement, sur tout le reste. Qu'il fut plus fort que toute fatigue, plus fort que tout désespoir, plus fort que tous les soucis que lui donnait depuis longtemps son autre producteur Ed Chalpin avec qui il avait signé étourdiment un contrat d'un dollar et qui aujourd'hui réclamait son dû.

Son désir de musique fut plus fort que tout. Je ne vois que la folie qui ait cette endurance.

Son désir de musique fut sa folie.

Tant qu'il était vivant et quelles que soient les circonstances, la folie musique lui demeurait. Et il pouvait, pour ses beaux yeux, aller bien au-delà de ses forces. Enfin, jusqu'à un certain point.

Jamais, je crois, l'idée ne lui vint de s'épargner.
Encore moins l'idée de durer.
Il ne pouvait que brûler.
Un homme emportera-t-il du feu dans sa poche sans que ses vêtements s'enflamment ? Proverbes 6,27-28.
Il ne pouvait, son concert achevé, que remonter sur la scène d'un club et jouer encore et encore, jusqu'au matin.
Il ne pouvait qu'ajouter la musique à la musique, l'insomnie à l'insomnie, les trips d'acide aux trips d'acide, l'alcool à l'alcool et la mort à la mort.
Il ne dormait plus.
Quel crime avait-il commis qui l'empêchait de dormir ?
Je n'aime pas celui qui ne dort pas, dit Dieu.
Dieu ne l'aimait plus.
Mais qui l'aimait encore ?
Ou de qui se laissait-il aimer ?
Le commerce des autres lui était devenu pénible.
Il ne touchait plus terre.
Certains jours, il était plongé dans un état de stupeur dont il ne parvenait pas à s'arracher.
Il lui arrivait même de ne plus savoir s'il était vivant ou mort. Alors il demandait à Monika, sa compagne du moment, qu'elle le touche, qu'elle le secoue, fort, plus fort, plus fort.

Elle le secouait. Il s'apaisait. Reprenait sa guitare.
Tant qu'il était vivant, il était musique.

Pendant cette période où il fut donc, aux dires des témoins, constamment défoncé et constamment à côté de ses pompes, il trouva, je ne sais où, la force d'élaborer de nouveaux projets.

Après Woodstock, après ce moment inoubliable où il joua *The Star Spangled Banner* le 18 août 1969, à 9 heures du matin, il se remit à travailler en studio, comme il aimait passionnément à le faire.

Car il possédait à présent le studio dont il avait longtemps rêvé : un studio d'enregistrement à New York qu'il avait baptisé Electric Lady, véritable centre d'expérimentation musicale, équipé des appareils technologiques les plus en pointe et les plus sophistiqués, et où, entre deux tournées, il pouvait se livrer à des séances d'enregistrement telles qu'il les concevait depuis toujours.

Aidé d'Eddie Kramer, son très précieux ingénieur du son, il s'y enferma souvent plus de quinze heures d'affilée, dans une liberté et une ouverture totales (chose impensable aujourd'hui où le temps passé dans les studios est rigoureusement compté).

Mais l'usage de ce studio créa encore de nouveaux conflits avec l'immonde Jeffery qui le possédait à parts égales.

Ce dernier souhaitait le louer à d'autres musiciens aux fins de le rentabiliser, tandis que Hendrix, lui, ne songeait qu'à l'utiliser à sa guise et à passer quatre heures entières sur un seul solo de guitare, ou plus, s'il le fallait.

C'est pendant cette période que Hendrix prit contact avec Alan Douglas, dans l'idée de collaborer avec Gil Evans pour un album plus engagé dans le jazz et qui lui ouvrirait, pensait-il, de nouveaux horizons musicaux. Son intérêt pour le jazz, pour ses improvisations, ses fragilités, ses ruptures et sa capacité à accueillir l'imprévisible et le bancal, son intérêt n'avait fait en lui que grandir depuis les années new-yorkaises.

Il avait déjà joué avec des jazzmen tels que Larry Young, John McLaughlin ou Dave Holland. Il s'était déjà adressé à l'arrangeur de jazz Larry Fallon pour qu'il lui écrive une partition que sa maison de disques avait du reste refusée parce que trop singulière. Mais ce qu'il souhaitait désormais, c'était aller plus loin encore. Il avait la conviction que sa musique, en rencontrant le jazz, pourrait s'ouvrir à il ne savait quoi, se recommencer, renaître, prendre de nouveaux risques, ou peut-être s'en donner l'illusion.

Hendrix faisait-il ce projet en vue de duper la mort, dont il sentait sur lui l'haleine ?

Le fait est qu'il prit contact avec Gil Evans, le brillant arrangeur de Miles Davis. Et que Gil Evans fut enthousiasmé par l'idée d'une collaboration avec Hendrix qu'il considérait comme un compositeur de génie, que le jazz, en quelque sorte, attendait.

Les choses s'organisèrent.

Des dates furent fixées.
Le travail commencerait dès le retour de Hendrix de sa tournée européenne.
Hendrix mourut une semaine avant la première répétition.
Son projet de renaître se paya de sa mort.

J'approche du terme de cette histoire, et je regarde, une fois encore, Hendrix jouer *The Star Spangled Banner* dans le film que réalisa Michael Wadleigh, assisté de Martin Scorsese, sur le festival de Woodstock. Hendrix absorbé par sa musique, abîmé en elle, livré, soumis, je dirais possédé si ce mot ne renvoyait à des diableries. Esclave et maître de sa musique, pour être plus précise. Le manche du maître dans la main droite, et les cordes inversées pour l'esclave gaucher.

Sur son visage, une intensité calme,
et la gravité d'un enfant qui joue.

Des yeux comme noyés.

Et dans son jeu une énergie farouche, autant qu'un désespoir.

Ce désespoir, j'en ai parlé précédemment, et j'ai tenté d'en percevoir, outre les causes intimes que j'ai imaginées, celles qui agirent du dehors.

Je voudrais essayer de comprendre aujourd'hui comment,

pourquoi, par quels terribles enchaînements, Hendrix glissa de ce désespoir vers la mort.

Je refais avec lui l'itinéraire qui l'amena du festival de Woodstock, le 18 août 1969, au jour de son décès, le 18 septembre 1970.

Je le suis au plus près.

Je mets amoureusement mes pas dans les siens.

Après Woodstock, Hendrix annule son passage sur le plateau d'un présentateur télé. Trop épuisé.

Puis il annule la tournée américaine. Trop de pressions. Trop de concerts. Trop de voyages. Trop d'hôtels. Trop de chambres anonymes. Trop de défonces. Trop de trips périlleux. Trop de choses inhumaines qui hâtent sa mort. Et lui-même qui la hâte. Car il serait bête et malhonnête de ne pas voir la part qu'il prend à sa propre destruction.

Hendrix est-il étranger à la peur de mourir, à l'aveugle et entêté vouloir vivre des hommes ?

Aime-t-il le péril à l'instar des héros, lui qui n'a rien d'un Sylvester Stallone, lui qui est si vulnérable ?

Ne redoute-t-il pas d'affronter la mort ?

Ne la hait-il pas comme je la hais ?

La mort le suit-elle à la trace, vêtue de rouge et noir, comme dans ce conte arabe qui s'achève à Samarkand ?

Vit-elle dans son ombre, depuis longtemps, depuis toujours ?

La désire-t-il secrètement ?

Est-il homme assez fou pour désirer mourir ?
A-t-il acquis, avec la dope, ce sentiment d'être arraché au monde et arraché au corps qui est déjà, me semble-t-il, une forme du mourir ?
Mourir est-il pour lui devenu une habitude ?
Préfère-t-il la mort à une lente abdication ?
Est-il déjà mort ?
Personne, jamais, ne pourra le dire pour lui.

Après Woodstock, le groupe Gypsy Suns & Rainbows se désagrège. Larry Lee, Jerry Velez et Billy Cox reviennent à leurs activités antérieures. Mitch Mitchell repart à Londres.
Mais Hendrix ne peut vivre sans musique. Il lui est impensable de vivre sans musique, pour la simple raison que la musique le tient debout. De son côté, Jeffery le pousse à produire un nouvel album. Négoce oblige. Celui-ci calmera, dit-il, les réclamations d'Ed Chalpin. Alors Hendrix recompose un groupe avec Buddy Miles à la batterie et Billy Cox à la basse.
Il l'appelle Band of Gypsys.
Trois musiciens noirs, l'idée ne plaît guère à Jeffery qui craint de perdre son public blanc. Mais Hendrix passe outre. Et les trois musiciens enregistrent en studio pendant des jours entiers, dans une improvisation si libre, si joueuse et si inspirée que l'album qui sortira quelques mois après aux USA se rapprochera davantage d'un album de jazz que d'un album de rock.

Jack Kerouac meurt le 21 octobre 1969, et avec lui, un monde.

L'affaire de Toronto s'achève sur un acquittement.

Le 31 décembre, le groupe Band of Gypsys entame une série de quatre concerts au Fillmore East de New York. Hendrix dédie *Machine Gun* à tous les soldats qui se battent à Chicago, à Milwaukee, à New York et au Vietnam. À la fin des quatre concerts, il se sent comme un sac vide.

Le 28 janvier 70, il accepte de se produire au Madison Square Garden, dans le cadre d'un festival destiné à soutenir financièrement les opposants de la guerre au Vietnam.

Lorsqu'il l'apprend, Jeffery, qui est politiquement conservateur et hostile aux manifestations anti-guerre, entre dans une colère effroyable.

Hendrix, en réaction, se défonce à mort.

Sur scène, il apparaît hagard, désorienté, la démarche hésitante. Dès le second morceau, il vacille, perd pied, débranche brusquement sa guitare et quitte la scène sans autre explication. Quelques instants après, il s'effondre.

Comment se fait-il que personne ne le retienne dans son glissement vers le gouffre ? Comment se fait-il que personne ne lui dise Arrête ! Par pitié arrête !

Lui qui est adoré par des millions et des millions de fans, comment comprendre qu'il n'y en ait pas un seul qui pense à lui dire Repose-toi, pour l'amour du ciel repose-toi ?

Est-il possible que nul ne l'aime assez pour le lui dire ?
Empêche-t-il les autres de l'aimer assez pour le lui
dire ?

Mars 70, il forme un nouveau trio avec Billy Cox et
Mitch Mitchell.
Tournée américaine.
Le 25 avril, il est au Forum de Los Angeles.
Puis concerts dans le Wisconsin, le Minnesota, le Texas
et l'Oklahoma.
Puis concerts à New York au profit de Timothy Leary
emprisonné pour détention de drogues et à Philadelphie
avec Grateful Dead.
Si fatigué qu'il annule les deux concerts suivants.
À peine remis, donne deux concerts à Berkeley, le
30 mai, devant un public d'étudiants.
Ovation après *The Star Spangled Banner*. Ça le remonte.
Concert au festival d'Atlanta le 4 juillet.
Concert à New York le 17 juillet pour un Pop Festival
à Randall's. C'est le dernier concert de Hendrix dans sa
ville d'adoption. L'organisation est déplorable. Hendrix
monte sur scène à 4 heures du matin dans une ambiance
d'émeute. Les amplis fonctionnent mal. Hendrix s'em-
pêtre dans ses paroles. Le public est si déconcerté par
sa musique qu'il l'apostrophe violemment.
Hendrix en est blessé.
1er août : concert à l'International Center d'Honolulu.
Le 30 août : il est programmé en tête d'affiche au festival

de l'île de Wight, contre son gré, et parce que son contrat l'y oblige. Il est déjà las de son trio. Il s'y ennuie. Toute surprise avec ses deux musiciens lui semble désormais impossible. Il apparaît, à ceux qui l'ont connu trois ans auparavant, comme l'ombre de lui-même. Méconnaissable. Hendrix sans Hendrix. Hendrix sans le feu. Il éprouve une lassitude sans nom.

Il ne dort plus. Sans somnifères, il ne dort plus. Il ne sait plus ce que dormir sans somnifères veut dire. Il l'a oublié.

Il monte sur scène, frissonnant de fatigue, le visage creusé et plus défoncé encore que Johnny Depp dans *Las Vegas Parano*.

Il apostrophe la foule, Vous voulez entendre toutes ces vieilles chansons? Bon Dieu, on essaie pourtant de faire autre chose!

Il joue sans conviction les morceaux les plus connus que le public réclame. À la fin du concert, il déclare Bon, merci beaucoup, paix, amour et toutes ces conneries. Il dit: et toutes ces conneries, notez-le bien. Et il laisse tomber sa Stratocaster noire sur le sol.

Immense désarroi.

Hendrix continue de mourir.

Jeffery, lui, est aux aguets. Il commence à faire des plans pour l'après-Hendrix. Il veut encore récolter du fric, avant que le succès de sa star ne décroisse, avant la déconfiture qu'il sent venir. Malgré les réserves de Hendrix, il enregistre l'intégralité du concert pour en tirer un album live, *Isle of Wight*, qui sera l'un des pires albums de Hendrix jamais enregistrés.

À la fin du festival, Hendrix et Miles Davis se donnent rendez-vous à Londres pour s'entretenir de l'album qu'ils rêvent de faire ensemble. Le rendez-vous n'aura jamais lieu.

Le concert de l'île de Wight s'achève au milieu de la nuit.

Quelques heures après, Hendrix doit être à Stockholm pour un nouveau concert. Quelques heures après! Sans qu'il puisse s'accorder la moindre halte! Sans que ses os et sa chair se reposent! Une telle pression relève de la barbarie.

Sa fatigue est plus grande qu'elle n'a jamais été.

Sa fatigue est inhumaine.

Elle a mille ans.

Il avale une poignée de tranquillisants.

Il n'essaie même plus de se retenir au mur.

Mais quel mur?

Il est dans une sorte d'égarement.

Comme désintégré.

Mais bordel où je suis?

Il meurt chaque jour davantage.

Il dit à Jeffery Je suis vanné.

Jeffery lui dit Ne fais pas ta chochotte.

Et pour la première fois, Hendrix lui répond violemment. Il lui dit Va te faire foutre, putain va te faire foutre. Et il en éprouve une sorte de soulagement.

Le lendemain, concert à Göteborg. Son musicien Billy Cox fait un mauvais trip. Il est hospitalisé en urgence puis rapatrié à Londres. Hendrix en est très affecté. Il dit Putain c'est la Berezina.

Concert à Aarhus, au Danemark, le 2 septembre. Jimi quitte la scène après deux titres. Il est dans une détresse sans nom. Il confie à une journaliste Je ne suis pas sûr d'atteindre mes vingt-huit ans. Il prononce ces mots qui ne prendront leur sens que quinze jours plus tard. Pourquoi les mots ne revêtent-ils leur sens, souvent, que longtemps après leur profération?

Le 3 septembre: concert à Copenhague où il essaie d'effacer le désastre de la veille.

Sentiment d'une *soledad sin descanso*.

Horreur d'être.

Le 4 septembre: concert à Berlin. Ciel gris. Déprimant. Il boit des Pilsner tout le jour. Il ne peut s'arrêter de boire. Il boit jusqu'à la nausée. Le soir il exécute des solos de guitare qui comptent parmi les plus beaux de sa vie. Mais le public est complètement désarçonné par sa musique. Le public ne reconnaît pas le tchack-boum-boum cher à son cœur. Or ce que le public attend, c'est le tchack-boum-boum cher à son cœur. Pas cette chose. Qui ressemble à. Qui ressemble à quoi? Le public se déchaîne et hurle sa déception. Hendrix continue de jouer. Il résiste. Par orgueil, il résiste. Mais en vérité, il est triste au-delà des larmes.

La masse sacro-sainte des cons a fait bloc contre lui.
Hendrix ne peut que le constater, le divorce entre ses recherches exigeantes et les attentes d'un public récalcitrant à toute innovation est devenu irrémédiable.

Ce divorce le désespère. Comme il désespéra avant lui tant d'autres créateurs qu'on ignora, qu'on injuria, ou à qui on ferma violemment la bouche.

Hendrix refuse avec véhémence de se cantonner à un genre assigné et de faire quelque concession que ce soit au goût du jour. Or on ne pardonne pas à ceux qui sont dans ce refus. On ne pardonne pas à ceux qui explorent et qui déroutent nos dévotes habitudes. On ne pardonne pas à ceux qui ne sont pas assez nos pareils.

Hendrix, à ce moment-là, l'apprend, si j'ose dire, dans sa chair.

On le conspue.

Toi qui es-tu pour juger ? (Paul, Épître aux Romains 14,4.)
Sa peine est immense.

Car s'il a, au début, consenti à flatter le public en se pliant à ses attentes (sans jamais, toutefois, se dévoyer, je le précise), ce qu'il souhaite aujourd'hui, simplement, c'est livrer ce qu'il estime être le meilleur de sa recherche. Et il est infiniment blessé de l'accueil qui lui est fait.

Il a négligé jusque-là les forces que le public emploie pour faire entrer les artistes dans le rang. Et il les prend (ces forces) en pleine gueule.

Le 5 septembre, il doit se produire sur l'île allemande de Fehmarn. Des pluies torrentielles s'abattent sur la région. Le concert est reporté au lendemain.

Le 6 septembre, il monte sur scène. Où en trouve-t-il encore l'énergie?

Le public, qui le tient pour responsable du report, scande en chœur Rentre chez toi Jimi!

Jimi répond, il a cet humour : Rien à foutre que vous hurliez, pourvu que vous hurliez juste!

Il a le moral à zéro.

Retour à Londres.

À bout de forces.

Il dit Je n'en peux plus.

Combien à souffrir encore?

Dans sa chambre d'hôtel, il va et vient comme une bête enfermée.

Il cherche un signe qui le rattacherait au monde.

Ne le trouve pas.

Il est far out. Parti.

Il est perdu, à tous les sens du mot perdu.

Il se passe un film porno.

Il l'arrête au bout de cinq minutes.

Il a un sentiment continuel d'anéantissement.

Il dit Je suis mort.

Pourquoi l'immonde Jeffery ne s'en aperçoit-il pas? Et ses proches? Et pourquoi lui-même ne dit-il pas stop, stop, comme il l'a déjà fait?

À Londres, il a froid. Il frissonne. Il n'arrête pas de frissonner.

Le fog s'infiltre dans sa peau et pénètre au plus profond de son être.

Il aspire au sommeil.

Il aspire à tomber en chute libre dans le sommeil. Jusqu'à choir, s'il le faut, au fond de la nuit des nuits, au fond du silence parfait. Et en finir avec les souffrances.

Il boit du whisky, en quantité.

Il a envie de vomir.

Il ne sait où aller, où mettre ses pieds, car, l'affaire Chalpin n'étant pas tout à fait réglée, il est pourchassé par des huissiers porteurs d'assignations à comparaître (un lapsus calami m'avait d'abord fait écrire : assignations à disparaître).

Il dit Je suis, paraît-il, plein aux as, et j'ai les huissiers au cul, c'est un comble !

Il réserve une chambre à l'hôtel Samarkand, du nom de la ville où, dans ce conte arabe que j'ai déjà cité, la Mort a donné rendez-vous au soldat Saïd, lequel, cherchant à toute force à échapper à cet arrêt, selle son cheval, se sauve au galop, et se précipite ainsi vers Celle qu'il a fuie.

Il est dans une fatigue extrême.

Une douleur lui enserre le crâne.

Mais il se dit qu'il va s'en sortir.

Il se dit qu'il va quitter Londres pour New York à la fin de la semaine afin de terminer son disque. Il l'appellera

First Rays of the New Rising Sun. Il se cramponne à cette idée. Il veut y croire. À moins qu'il ne feigne.

Il se réjouit du rendez-vous qu'il a pris avec Eric Clapton, au Ronnie Scott. Il ne saura jamais que Clapton a acheté, pour la lui offrir, une guitare de gaucher.

Il accorde un entretien à un journaliste du *Record Mirror* qui sera publié le lendemain de sa mort. Dans leur conversation, il revient sur l'incommensurable fatigue qui l'empêche de créer.

Malgré tout, l'avant-veille de sa mort, il jame encore avec Eric Burdon.

Jusqu'à son dernier souffle, il joue.

Hendrix mourut le 18 septembre 1970, aux premières heures du jour, d'un excès de barbituriques.

Son amie Monika le trouva inanimé sur son lit, des traces de vomi sur le visage et sur le torse.

Héraclite mourut, dit-on, dans la merde. Hendrix dans son vomi. Détails triviaux qui simplement rappellent que ces deux êtres dont le destin fut inouï vécurent et moururent en hommes.

Hendrix avait le génie d'un musicien, et la vulnérabilité d'un enfant. Il était l'exception, et notre part commune. Une figure souveraine, et infiniment désarmée. Tous les mythes sont faits de cette double chair, divine et ordinaire. Et c'est cette double chair que nous aimons en eux.

On aurait pu écrire de Hendrix, à la manière de Shakespeare : un Dieu lui avait donné de dire ce que les autres enduraient.

Car c'est ce qu'il fit, ce matin du 18 août 1969, à Woodstock, en jouant *The Star Spangled Banner*.

Il fit résonner un Hymne, fulgurant comme une douleur, qui exprimait mieux que tous les mots ce que la jeunesse d'alors endurait,

l'Hymne à un monde où Dieu n'était pas mort comme certains l'avaient pensé, où Dieu était complètement défoncé et fou à lier, il suffisait, pour s'en convaincre, d'écouter les GI de retour du Vietnam,

mais en même temps l'Hymne à un monde où, à défaut d'étoiles, on pouvait encore faire jaillir quelques éblouissements.

Un Hymne qui portait en lui le refus véhément de tout ce qui amputait et saccageait la vie,

mais qui disait aussi son désir de bataille, et l'espoir que la hideur et la violence puissent par la musique être converties en beauté.

Un Hymne de trois minutes quarante-trois qui fit du 18 août 1969 une date dans l'Histoire, je l'affirme et le signe,

et où, quarante ans après, nous sommes innombrables à puiser je ne sais quels élans, je ne sais quelles forces. Car je l'ai constaté en moi : aux jours de lassitude et souvent en novembre, lorsque rien n'apparaît pour me donner du sens, lorsque je sens monter une sourde tristesse doublée d'un sourd ennui, lorsque prostrée devant mon poste de télévision, je me laisse glisser dans une résignation morne, lorsque je mange sans faim, lorsque je bois sans soif, lorsque je lis des livres qui me tombent des mains, lorsque je ne peux m'empêcher de bâiller devant ces protestations faites à tout propos, mais si tièdement et si mollement qu'elles portent en elles leur propre reniement, lorsque les faiseurs d'opinion me semblent acoquinés à la pire veulerie,

j'écoute *The Star Spangled Banner*,

j'écoute la musique d'un jeune homme qui mourut à vingt-sept ans dans toute sa beauté,

Hendrix le si fragile qui détenait en lui ces forces élémentaires dont nous nous sommes déshabitués, mais dont nous avons, aujourd'hui, tant besoin,

Hendrix le clairvoyant qui vint nous alarmer sur l'inhumanité du monde, par une clameur dont l'écho *répété par mille sentinelles* se répercuta jusqu'à notre présent,

Hendrix, le timide dans la vie, qui dans son art fut tout audace, à la différence de ceux qui, bavards et insolents dans les salons, n'accouchent que d'œuvrettes,

Hendrix, l'excessif, le flamboyant, l'effervescent, le prodigue, le torrentiel, le fiévreux, le démesuré, l'extrême, l'outrancier, Hendrix qui ignorait toute mesure, qui ignorait toute épargne, qui ignorait toute prudence, Hendrix qui débordait, Hendrix toujours en crue, Hendrix qui sans le vouloir ridiculisait pissats et ruisselets,

Hendrix l'innocent, le farouche, Hendrix le génie, avec ce que ce mot contient de questionnements : comment le génie germa-t-il en son sang mélangé ? par quelle énigmatique incubation ? quelles puissances léonines (c'est ainsi qu'il les qualifiait) lui firent don de son talent ? où trouva-t-il ses forces et ses courages, lui dont le cœur friable s'éboulait?

Hendrix qui ne fit que passer dans la vie (à peine eut-il le temps de composer quatre albums), mais qui se donna à la musique avec une passion sauvage, et comme s'il avait su secrètement que ses jours étaient comptés,

Hendrix l'immense: il avait en lui l'Amérique,

Hendrix qui réinventa, d'une certaine façon, cette Amérique des années 60, mais dont la gloire lui vint d'ailleurs, de Londres, comme il advient presque toujours pour les génies,

Hendrix qui dressa la force de sa singularité contre tous les calibrages qui s'exerçaient à son époque, et qui désactiva toutes les habitudes musicales qui s'étaient, en quelques années, sédimentées,

Hendrix qui produisit ainsi, hors des chemins frayés, une musique brûlante qui finit par le brûler,

Hendrix dont l'œuvre, après sa mort, fut sabotée, estropiée, honteusement dénaturée par ces infâmes profiteurs dont j'ai suffisamment parlé et qui, atrocement, se disputèrent son cadavre (son œuvre, aujourd'hui, me semble mieux administrée).

Mon récit touche à son terme, et j'ai du mal à m'en déprendre.

J'en réécris plusieurs fois les dernières lignes.

Je recule.

Je résiste.

Quelque chose en moi refuse de conclure.

Et je me trouve mille excuses pour ne pas mettre un point final.

Hier soir, j'ai relu *Le Théâtre et son double* d'Antonin Artaud. Artaud écrit ces mots dont l'évidence me saisit. Je les lui vole. Ils seront mes derniers. Les voici :

Le plus urgent ne me paraît pas tant de défendre une culture dont l'existence n'a jamais sauvé un homme du souci de mieux vivre et d'avoir faim, que d'extraire de ce qu'on appelle la culture, des idées dont la force vivante est identique à celle de la faim.

Paris, janvier 2011

Je tiens à remercier ceux dont les paroles et les textes m'ont aidé à écrire ce livre :

Yazid Manou, aux conseils si précieux, Bernard Comment, Bernard Wallet, Alain Dister, Philippe Manœuvre, Nick Tosches, Charles Shaar Murray, Jean-Pierre Filiu, Régis Canselier, Michka Assayas, Gilles Châtelet, Nathalie Kratzeisen, Isabelle Houllier, Philippe Carles, Jean-Louis Comolli, Maxime Schmitt, Bruno Chevillon, et toutes les personnes qui m'ont apporté informations et témoignages.

DU MÊME AUTEUR

La Déclaration
Julliard, 1990
Verticales, 1997
et « Points », n° 598

La Vie commune
Julliard, 1991
Verticales, 1999
et « Folio », 2007

La Médaille
Seuil, 1993
et « Points », n° 1148

La Puissance des mouches
Seuil, 1995
et « Points », n° 316

La Compagnie des spectres
Seuil, 1997
et « Points », n° 561

Quelques conseils utiles aux élèves huissiers
Verticales, 1997

La Conférence de Cintegabelle
Seuil/Verticales, 1999
et « Points », n° 726

Les Belles Âmes
Seuil, 2000
Corps 16, 2001
et « Points », n° 900

Le Vif du vivant
dessins de Pablo Picasso
Cercle d'art, 2001

Et que les vers mangent le bœuf mort
Verticales, 2002

Contre
Verticales, « Minimales », 2002

Passage à l'ennemie
Seuil, 2003
et « Points », n° 1252

La Méthode Mila
Seuil, 2005
et « Points », n° 1513

Dis pas ça
Verticales-Phase deux, 2006

Portrait de l'écrivain en animal domestique
Seuil, 2007
et « Points », n° 2121

BW
Seuil, 2009

RÉALISATION : PAO ÉDITIONS DU SEUIL
IMPRESSION : CPI FIRMIN-DIDOT AU MESNIL-SUR-L'ESTRÉE
DÉPÔT LÉGAL : AOÛT 2011. N° 98555 (105305)
IMPRIMÉ EN FRANCE

Dans la même collection

Julien Péluchon, *Formications*
Patrice Pluyette, *Blanche*
Norman Manea, *Le Retour du Hooligan*
Jean-Pierre Martin, *Le Livre des hontes*
Xabi Molia, *Reprise des hostilités*
Maryline Desbiolles, *C'est pourtant pas la guerre*
Maryline Desbiolles, *Les Corbeaux*
Emmanuel Loi, *Une dette (Deleuze, Duras, Debord)*
Éric Pessan, *Cela n'arrivera jamais*
Emmanuel Rabu, *Tryphon Tournesol et Isidore Isou*
Fabrice Pataut, *En haut des marches*
Sophie Maurer, *Asthmes*
Centre Roland-Barthes, *Le Corps, le sens*
Jacques Lacarrière, *Le Pays sous l'écorce* (rééd.)
Jacques Henric, *Politique*
Alain Tanner, *Ciné-mélanges*
Thomas Pynchon, *L'Arc-en-ciel de la gravité* (rééd.)
Antoine Volodine, *Songes de Mevlido*
Lydie Salvayre, *Portrait de l'écrivain en animal domestique*
Charly Delwart, *Circuit*
Alain Fleischer, *Quelques obscurcissements*
Jean Hatzfeld, *La Stratégie des antilopes*
Denis Roche, *La photographie est interminable*
Norman Manea, *L'Heure exacte*
Jean-Marie Gleize, *Film à venir*
Michel Braudeau, *Café*
Jacques Roubaud, *Impératif catégorique*
Jacques Roubaud, *Parc sauvage*
Charles Robinson, *Génie du proxénétisme*
Christine Jordis, *Un lien étroit*
Emmanuelle Heidsieck, *Il risque de pleuvoir*
Avril Ventura, *Ce qui manque*

Emmanuel Adely, *Genèse (Chronologie)* et *Genèse (Plateaux)*
Jean-Christophe Bailly, *L'Instant et son ombre*
Maryline Desbiolles, *Les Draps du peintre*
Catherine Grenier, *La Revanche des émotions. Essai sur l'art contemporain*
Robert Coover, *Noir*
Patrice Pluyette, *La Traversée du Mozambique par temps calme*
Olivier Rolin, *Un chasseur de lions*
Christine Angot, *Le Marché des amants*
Thomas Pynchon, *Contre-jour*
Lou Reed, *Traverser le feu. Intégrale des chansons*
Centre Roland-Barthes, *Vivre le sens*
Chloé Delaume, *Dans ma maison sous terre*
Patrick Deville, *Equatoria*
Roland Barthes, *Journal de deuil*
Alain Veinstein, *Le Développement des lignes*
Alain Ferry, *Mémoire d'un fou d'Emma*
Allen S. Weiss, *Le Livre bouffon. Baudelaire à l'Académie*
Gérard Genette, *Codicille*
Pavel Hak, *Warax*
Jocelyn Bonnerave, *Nouveaux Indiens*
Paul Beatty, *Slumberland*
Lydie Salvayre, *BW*
Norman Manea, *L'Enveloppe noire*
Norman Manea, *Les Clowns*
Antoine Volodine et Olivier Aubert, *Macau*
Jacques Roubaud, *'le grand incendie de londres'* (nouvelle édition du grand projet)
Alix Cléo Roubaud, *Journal (1979-1983)* (rééd.)
Herbert Huncke, *Coupable de tout et autres textes*
Lou Reed, Lorenzo Mattotti, *The Raven/Le Corbeau*
Patrick Roegiers, *La Nuit du monde*